Dr Michel Lallement

LES CLÉS DE L'ALIMENTATION SANTÉ

Intolérances alimentaires et inflammation chronique

1, rue Jean de Brion
77520 Donnemarie-Dontilly

EAN : 9782849390665

Dr Michel Lallement

Préfaces du Dr Jean-Loup Mouysset, cancérologue,
et du Dr Yann Rougier, spécialiste en neurosciences

LES CLÉS DE L'ALIMENTATION SANTÉ

Cancer
Alzheimer
Fibromyalgie
Fatigue chronique
Ostéoporose
Dépression
Arthrose
Obésité
...

Intolérances alimentaires et inflammation chronique

Collection Vérités

Éditions
Mosaïque-Santé

Mise en garde

Ce texte ne peut en aucun cas être considéré comme une consultation médicale ou une prescription nutritionnelle. Il ne peut pas remplacer l'expertise médicale. Seul un médecin est habilité à vous délivrer des prescriptions ou des conseils nutritionnels adaptés à votre cas particulier. Toute mise en pratique des informations contenues dans ce livre devra être faite à la discrétion du lecteur et à ses propres risques.

L'auteur et l'éditeur déconseillent formellement l'automédication et déclinent toute responsabilité éventuelle découlant de la lecture de ce texte, par rapport à tout dommage, maladie, symptôme, problème de santé, perte ou blessure, supposés avoir été causés par l'information contenue dans cet ouvrage.

Préface du Dr Jean-Loup Mouysset

Oncologue médical

Fondateur de l'Association Ressource

Fondateur / Directeur du « Centre Ressource »

Entrepreneur Social Ashoka 2010

Je trouve vraiment remarquable et hautement symbolique de préfacer un livre écrit par un chirurgien cancérologue sur la médecine nutritionnelle et fonctionnelle...

Il a fallu tant de temps à nos confrères chirurgiens pour comprendre que la thérapeutique anti-cancéreuse n'était pas qu'une affaire de chirurgie, et voilà que l'un d'entre eux trouve le temps et l'énergie pour enseigner aux patients à mieux supporter les traitements. Et plus encore : à se donner de meilleures chances de guérison, de meilleures chances de rester en bonne santé...

Je parle surtout de personnes touchées par le cancer, car c'est mon métier, et c'est dans ce domaine que la souffrance est la plus grande en France et dans les pays occidentaux.

En France, plus de mille personnes en moyenne apprennent chaque jour qu'elles sont touchées par « le cancer » : après le choc existentiel de l'annonce et l'épreuve du traitement, elles se retrouvent actuellement totalement démunies. En effet, il n'existe pas de recommandations et encore moins de prise en charge spécifique pour aider les patients à sortir des toxicités des traitements et à s'engager dans une démarche de prévention de la récidive. Simplement une surveillance médicale.

Pourtant, certaines expériences ont montré des résultats remarquables : celles du Dr Dean Ornish (Berkeley University, USA) dans le cadre de la recherche sur le cancer de la prostate (pour éviter d'avoir à traiter de façon invasive, par chirurgie ou radiothérapie, un cancer localisé) ou celles de Barbara Andersen, dans le cadre de la recherche sur le cancer du sein (diminution du risque de récidive de 50 % en complément des thérapeutiques conventionnelles « standards »).

Ces recherches avaient en commun de proposer une approche globale : apprendre à gérer le stress, favoriser l'expression émotionnelle, stimuler l'activité physique, apprendre une nouvelle façon de s'alimenter, prendre conscience des conduites à risque.

Dans une logique d'interdépendance, l'alimentation faisait à chaque fois partie du « programme » : elle avait la même importance que toutes les autres démarches.

On retrouve cette humilité dans le livre du Dr Michel Lallement : toujours la notion du détail, mais aussi la capacité à relativiser chaque conseil en fonction du contexte. Et toujours la notion que chaque conseil en nutrition a son importance, mais ne peut avoir d'efficacité et de valeur que dans une approche globale.

J'ai créé le Centre Ressource, premier Centre d'Accompagnement Thérapeutique en France pour les personnes touchées par le cancer, sur ce principe. Les patients (et leur entourage) sont invités à participer au Programme d'Accompagnement Thérapeutique : d'une durée d'un an, ils apprennent à devenir acteurs de leur santé à travers des ateliers pédagogiques et des groupes de parole « soutien-expression ». La nutrition a une place essentielle dans ce programme, à travers plusieurs ateliers de nutrition. Et nul doute que le Dr Lallement fera partie de ceux qui viendront enseigner cette médecine nutritionnelle et ses vertus pour que les médecins la prescrivent mieux, pour que les patients eux-mêmes se l'approprient au mieux, plus conscients de son importance. Ils s'impliqueront avec plus de force dans les ateliers de nutrition, et surtout auront à cœur de mettre tous les jours, trois fois par jour, en application les conseils reçus. Pour leur santé. Mais aussi pour celle de leurs enfants. Car les personnes atteintes de cancer redoutent une chose très fort : que leurs enfants passent aussi par cette maladie.

Aussi ils vont devenir les meilleurs ambassadeurs de l'absolue nécessité de prendre en main sa santé, et de prévenir la maladie. Car l'alimentation est le premier pas où le malade peut devenir acteur de sa santé.

C'est donc bien un ouvrage de prévention que celui du Dr Lallement, une contribution importante pour aider les personnes atteintes de cancer à mettre toutes les chances de leur côté pour éviter la récidive. Enfin les médecins font savoir et enseignent qu'il n'y a pas de résignation ni de fatalisme face au cancer. Mais qu'un autre regard est possible sur cette maladie, pour le plus grand bonheur des patients.

Merci au Dr Lallement pour son courage et son énergie à dire des vérités encore non consensuelles parmi nos confrères médecins. Il recevra les remerciements de ses patients et de bien d'autres.

Il n'y pas de plus bel hommage pour un médecin que d'être aimé de ses patients.

Merci à toi, Michel.

Préface du Dr Yann Rougier

Médecin spécialiste, fondateur de l'Institut national de neuro-nutrition et neurosciences appliquées (IN2A).

L'acte de se nourrir est un acte fondamental, précieux et plein de sens ; associé à l'acte de respirer, il devient « acte de vie ». L'accès à la nourriture est une quête humaine plusieurs fois millénaire…

Pour les pays industrialisés, ce « Graal » de civilisation est quasiment atteint : merci au progrès, à la science et à la volonté des hommes. Mais en dépit de toutes les dernières connaissances scientifiques majeures, une bonne moitié des 3 milliards d'individus qui vivent dans les pays industrialisés sont malades de leur « déséquilibre alimentaire » : obésité, diabète, hypertension, excès de cholestérol, syndrome métabolique, maladies dégénératives… L'une des clés permettant de résoudre ces problèmes se résume en un mot pour tous les thérapeutes : éduquer ! Éduquer inlassablement nos patients et le grand public. C'est dans cet esprit que le docteur Michel Lallement nous offre ici un ouvrage de synthèse accompagné d'un « mémo de nutrition pratique » de grande qualité. Cette préface n'a donc qu'un seul but : souligner la rareté et la grande utilité de ce type d'ouvrage.

En effet, en ce début de XXIe siècle (dans le contexte d'une médecine technologique au sommet de son art, et d'une recherche biologique aux portes des « éléments fondamentaux » du vivant), il est extrêmement difficile de consulter un ouvrage de synthèse cohérent sur la nutrition.

Pourtant, en un siècle de progrès, nous avons percé tous ces mystères : des premiers pas qui ont défini le rôle des macro-nutriments (protides, lipides, glucides) aux derniers prix Nobel qui ont imposé le rôle fondamental de la mitochondrie (biogénétique mitochondriale, schéma anti-oxydant, turbine à protons génératrice d'ATP…), en passant par la mode fulgurante des micronutriments (vitamines, oligo-éléments, enzymes) des années 80…

Chaque constituant de notre nourriture quotidienne est ainsi décrypté, analysé, codifié et retranscrit ! À ce jour, quasiment aucun « mystère métabolique » ne subsiste.

Mais cette avancée fulgurante des connaissances dans le domaine de la diététique et de la micro nutrition est hélas associé à un perte grave : nous avons tous oublié une partie du « mode d'emploi » qui permet d'associer des aliments de manière à préparer des plats et des menus qui vont dans le sens de la prévention de la santé durable. Les micronutriments fondamentaux contenus dans nos aliments ressemblent à des pièces de Lego avec lesquelles l'organisme construit ce dont il a besoin (cellules, tissus, hormones, liquides vitaux...). De la même manière que l'on peut construire à partir de pièces de Lego banales toutes sortes d'objets différents (voitures, avions, maisons, ponts...), votre corps élabore une grande variété de substances et de tissus essentiels avec les mêmes nutriments de base. Mais pour y parvenir, il doit disposer de tous les nutriments nécessaires au bon moment, au bon endroit, en bonne quantité et associés de manière opportune en suivant le bon mode d'emploi.

Dans toutes les civilisations, les traditions culinaires ancestrales fournissent des règles et des habitudes qui respectent au mieux ces besoins fondamentaux, en fonction des aliments disponibles.

Mais les chaînes de transmission des savoirs nutritionnels ancestraux se sont rompues (éclatement de la cellule familiale depuis 1950) et nous ne savons plus, de manière empirique et instinctive, construire une alimentation équilibrée sans avoir recours à des données relevant de la science. Cependant, il ne s'agit pas de plonger dans une technicité nutritionnelle qui nous obligerait à transformer notre alimentation en « expérience de biochimie » permanente. Pendant des millénaires, les humains ont su se nourrir de manière instinctive. Un savoir empirique s'est construit, qui a conduit à adopter une alimentation santé aussi variée que possible : d'abord des fruits cueillis, de la viande provenant de la chasse et du poisson issu de la pêche, auxquels ils ont ajouté plus tard des céréales et des légumes cultivés, et de la viande d'élevage. Ce savoir se transmettait de génération en génération à travers les recettes traditionnelles, de plus en plus sophistiquées, mais toujours bien équilibrées (en dehors des terribles périodes de grande guerre et de grave famine), pour reconstruire un schéma idéal d'un « être humain en pleine santé ». Aujourd'hui, les informations sur l'alimentation (sur)abondent, et pourtant notre éducation nutritionnelle est plus faible que jamais ! Nous mangeons comme si nous empilions nos pièces de Lego alimentaires, avec application et avec sérieux mais dans un ordre des plus hasardeux, sans jamais parvenir à construire un quelconque objet cohérent, une cohérence pourtant synonyme de prévention et de santé durables. En ce début de XXIe siècle, une grande question à la mode posée par les écologistes est : quelle Terre léguerons-nous à nos enfants ? Mais une autre priorité s'impose de façon encore plus urgente : quels enfants léguerons-nous à cette Terre ?

On a longtemps attribué (à tort !) à André Malraux la citation : « Le XXIe siècle sera religieux ou ne sera pas », de même qu'on a longtemps attribué à tort aux chercheurs et aux médecins hospitaliers nombre de régimes alimentaires miracle qui ne leur appartenaient pas (la quasi totalité en fait !). Malraux a corrigé cette erreur en spécifiant que, trop souvent, l'homme mélange tout : le religieux, le spirituel, le mystique…, et qu'en revanche, il pense réellement que l'humanité du siècle prochain (ou un autre !) devra trouver un « type exemplaire » de l'homme. En ce début de XXIe siècle, on mélange trop souvent tout : les promesses scientifiques, le marketing et le « charlatanesque ». On se doit donc d'informer les professionnels et le public de certaines réalités de la nutrition-santé, pour proposer un type exemplaire de Programme Nutrition-Santé qui prenne en considération l'homme global servi et animé par un système métabolique global. Un être totalement humain avec toutes ses implications nerveuses, hormonales, physiologiques, biologiques, psychologiques, émotionnelles… Un être pleinement humain, en contact et en interaction permanente avec tous ses « frères humains » (impact fondamental du contexte psycho-social, psycho-endémique). Un être pleinement humain que l'on ne peut donc réduire à une « machine biologique » répondant à des codages mathématique, génétique, biologique, médicamenteux, fruits de notre rêve mégalomaniaque purement technologique. Cette division trop mécaniste de l'humain a malheureusement été transmise au grand public : des millions de personnes attendent ainsi le « médicament anti-kilo » pour les « guérir » de la maladie du surpoids, ou la pilule « anti-cancer » parce qu'ils ont « attrapé » cette maladie.

Aujourd'hui, on se rend donc compte qu'au-delà de l'image marketing idéale de l'homme bionique souriant (mais figé…), trop souvent l'homme humain, quant à lui, grimace et souffre…

Il grimace en souffrant chaque jour un peu plus de ses maladies chroniques et dégénératives dont les molécules leaders ne soignent que les symptômes ; il grimace de se voir d'année en année, de génération en génération et de plus en plus jeune, « malade de la bouffe ».

Et si, comme l'a dit le grand Hippocrate : « La nutrition ne guérit rien, elle est néanmoins indissociable de toutes les véritables guérisons », c'est ce point de conclusion qui est essentiel et que souligne avec une grande compétence l'ouvrage du docteur Michel Lallement.

Une urgence que souligne avec sagesse et conviction Edgar Morin :

« À force de sacrifier l'essentiel à l'urgent, on finit par oublier l'urgence de l'essentiel ».

Ce programme et ce mémo de nutrition-santé du docteur Lallement, en offrant une vision claire et élargie de l'acte de se nourrir, soulignent à point nommé cette urgence de civilisation.

Longue vie à la prévention et à la nutrition-santé, et le meilleur pour cet ouvrage.

Dr Yann Rougier

À mon ange,

à ma muse adorée…

Introduction

« On ne peut rien guérir durablement sans une diète appropriée. »

Hippocrate, IVe siècle avant J.-C.

« Soigner celui qui n'est pas encore malade appartient à un ouvrier supérieur ; le mauvais ouvrier est celui qui ne soigne que celui qui est déjà malade. »

Pien Tsio, IIIe siècle avant J.-C.

Les profondes modifications de nos habitudes nutritionnelles, depuis quelques siècles et surtout les dernières décennies, ont abouti à rendre nos aliments de plus en plus toxiques pour notre santé. Notre nourriture moderne peut être assimilée, de plus en plus souvent, à un poison lent et insidieux, dont les conséquences sont des maladies graves, invalidantes et parfois mortelles !

En tant que chirurgien cancérologue, je tiens à rendre en préambule un hommage tout particulier à David Servan-Schreiber : ce médecin fut l'un des premiers à explorer et diffuser, dans son livre *Anticancer*, la notion de « terrain » favorisant la survenue de très nombreuses maladies. Son approche mérite d'être approfondie, à la lumière des résultats que j'ai pu constater dans ma pratique personnelle.

Dire que notre alimentation se dégrade et qu'elle est responsable de nombreuses maladies peut sembler paradoxal, alors que nous assistons, depuis plusieurs décennies, à un accroissement régulier de l'espérance de vie.

Mais, d'une part, ce que nous avons gagné en longévité (« quantité » de vie), nous le perdons en qualité : finir sa vie perclus de rhumatismes, ou coupés du monde par la maladie d'Alzheimer, est-ce une si grande victoire sur la Mort ?

D'autre part, et surtout, il est important de dire que nous sommes, pour la première fois dans l'histoire de l'humanité, à un plateau (voire une régression) de l'allongement de la durée de vie dans les pays riches, en raison des fléaux que sont les maladies métaboliques, les cancers, etc. Si nous ne modifions pas profondément nos habitudes, l'espérance de vie de nos enfants deviendra inférieure à la nôtre : ce n'est pas acceptable !

Depuis quelques années, il existe une prise de conscience de ce risque alimentaire ; davantage d'ailleurs par le grand public que par les médecins (du moins en France). Les articles sur la nutrition et les innombrables « régimes » envahissent les magazines, les offres pour des « cures de détoxication » explosent, et le succès est au rendez-vous. Nos contemporains se sentent donc intoxiqués... et ils ont raison ! Cette sensibilisation est logique, car chacun est confronté (pour lui-même ou ses proches) à l'augmentation considérable de la fréquence de ces pathologies dites émergentes.

Mais les informations sur le sujet sont largement discordantes, en particulier parce que les enjeux sont considérables sur le plan économique. Il suffit, pour s'en convaincre, de considérer le nombre de spots publicitaires relatifs à des produits alimentaires...

Lorsque j'interroge mes patients, une majorité est persuadée de « bien manger », car ils mangent « bio » ou consomment « cinq fruits et légumes par jour ». C'est évidemment une bonne base, mais nous verrons que cela ne représente qu'un minuscule aspect d'une alimentation saine et équilibrée. D'autant qu'il n'y a pas une alimentation idéale pour tous : s'il existe de grands principes fondamentaux, il est souvent nécessaire de personnaliser notre façon de nous nourrir.

Voici donc le premier message fondamental de ce livre : pour bien s'alimenter, il faut **comprendre** ce qui est bon et ce qui est néfaste. C'est la seule façon de faire soi-même le tri parmi les innombrables messages contradictoires que nous recevons quotidiennement sur le sujet : régimes amaigrissants, aliments-santé, cures de « détox », etc.

Précisons également qu'une « bonne alimentation » ne doit pas rimer avec « privation », mais plutôt avec « substitution » : les aliments « toxiques », une fois identifiés, doivent être remplacés par ceux bien plus nombreux et tout aussi agréables qui sont adaptés à notre organisme. Il s'agit essentiellement de **rééduquer notre goût**, malmené et déformé par des années de

« pensée culinaire unique ». **Il est tout à fait possible de manger sainement sans renoncer à notre patrimoine gastronomique**, il s'agit même d'une opportunité pour redécouvrir des saveurs oubliées !

Il est bien évident que la prise en charge nutritionnelle à elle seule ne peut prétendre éviter toutes les pathologies dégénératives, tous les cancers. Mais une personne frappée par la maladie malgré une bonne hygiène de vie peut déjà être assurée d'en avoir retardé l'apparition, et d'avoir diminué sa gravité.

De même, il est fondamental de préciser que cette approche ne se substitue en rien aux traitements médicaux classiques, ayant fait leurs preuves. Tout médecin qui affirme le contraire doit être suspecté de charlatanisme ! Mais, de même qu'il serait coupable de prétendre remplacer la médecine traditionnelle par une prise en charge uniquement nutritionnelle, il est aussi coupable de renoncer à l'aide qu'elle peut apporter. Et cela est valable pour toutes les prises en charge qui permettent d'agir sur le terrain de survenue des maladies : gestion du stress, exercice physique, etc. De plus en plus de publications médicales s'intéressent heureusement à ces aspects longtemps ignorés par la médecine allopathique. Le terme de médecine holistique (*holos* = entier), c'est-à-dire s'intéressant à l'individu dans son ensemble, prend alors tout son sens. **Les opposants à ces approches complémentaires ont donc une responsabilité morale vis-à-vis de leurs patients, car ils sont à l'origine d'une perte de chance : les médecins n'ont pas une obligation de résultat, mais ils ont une obligation de moyens**, ce qui dépasse largement la seule prescription de médicaments !

Il ne faut donc pas opposer la médecine « officielle » et les médecines dites « parallèles » ou « alternatives » : de même que des droites parallèles ne se rencontrent jamais, le terme « alternative » fait référence à un choix entre deux approches. Or **ces médecines sont complémentaires et non concurrentes** : leurs actions se renforcent, et c'est le fait de les opposer qui a conduit à les discréditer.

Ironie de l'histoire, c'est actuellement la médecine allopathique qui connaît une perte de confiance, suite à « l'affaire du Médiator® ». Mais il est tout aussi dangereux de rejeter en bloc les médicaments que de condamner les médecines dites « alternatives ». Leur synergie est bien illustrée par le dernier livre du Dr Dominique Rueff : *Mieux que guérir : avec la médecine intégrative.*

Tout thérapeute « non conventionnel » qui rejette la médecine classique doit donc être suspecté de charlatanisme. Mais il existe un autre moyen pour se faire une idée du sérieux d'une prise en charge. Il s'agit de s'intéresser à son coût : plus les prestations sont chères, plus il faut être suspect vis-à-vis de la démarche. Comme le lecteur pourra le constater, je me suis efforcé de proposer les méthodes les plus naturelles, qui sont aussi les moins coûteuses : il est préférable, à tout point de vue, d'apporter à son organisme les nutriments dont il a besoin grâce aux aliments plutôt que par des compléments alimentaires.

Le présent livre a pour ambition de faire passer trois messages fondamentaux :

- Tout d'abord, introduire la notion de **terrain prédisposant** à la survenue des maladies « de civilisation », en relation avec notre hygiène de vie. Le message du Dr Knock devient d'actualité avec l'alimentation moderne : « Tout homme bien portant est un malade qui s'ignore ! » Concrètement, je propose au lecteur d'estimer facilement le degré d'intoxication de son organisme grâce à un questionnaire joint en annexe.

- Introduire ensuite la notion d'**intolérances alimentaires**, encore très largement méconnue et pourtant de plus en plus fréquente !

- Enfin, présenter les règles simples qui résument les bases d'une alimentation saine : identifier les **aliments toxiques** (les mauvais sucres et les mauvaises graisses), les conséquences d'un excès de cuisson, et les risques liés aux **carences en oligo-éléments**.

Au total, nous verrons qu'il est possible, grâce à une alimentation saine et équilibrée, de corriger les déséquilibres de ce « terrain » prédisposant, et d'agir ainsi sur **les causes des maladies**, que ce soit en prévention ou au stade curatif. Je propose pour cette approche le terme de **médecine étiologique** (du grec *aitia* : la cause), c'est-à dire une médecine qui cherche la cause ultime des symptômes et des maladies pour agir sur leur(s) origine(s).

Pour rendre la lecture la plus « digeste » possible, je me suis efforcé de simplifier au maximum les principaux messages utiles. Il est impossible d'aborder ici tous les aspects relatifs à une alimentation saine et équilibrée, sous peine de diluer les messages importants : « Trop d'information tue l'information ». Les lecteurs désireux d'approfondir pourront se reporter aux sections intitulées : « *Pour en savoir plus* », ou consulter le site Internet qui prolonge ce livre : www-docteur-michel-lallement.com. Dans le même but de simplification, j'ai volontairement cité peu de références bibliographiques, car tout médecin sait qu'il est facile de trouver des publications contradictoires ! Mais les lecteurs intéressés trouveront en annexe des liens vers des sites de bibliographie médicale sur Internet.

Avant d'aborder enfin le vif du sujet, je tiens à faire une dernière remarque : nous ne sommes, j'en suis persuadé, qu'aux balbutiements de la compréhension des mécanismes évoqués dans ce livre : rôle fondamental de notre flore intestinale, de certaines substances, même à doses infinitésimales (polluants), etc. De nombreux chapitres devront être corrigés dans un avenir proche, qui nous réserve à l'évidence de grandes et belles surprises !

Chapitre

1

Les constats

La notion de terrain

Les constats : les « maladies de civilisation »

Depuis quelques générations, la fréquence de nombreuses pathologies, autrefois rares, explose véritablement ; au point que l'on parle désormais de maladies émergentes ! Le rôle évident joué par les facteurs environnementaux a également conduit à parler de maladies de civilisation.

Pour ne citer que les principales :

- La fréquence du diabète dans le monde a été multipliée par 5 en une génération ! C'est considérable.
- En France, les cas d'allergies alimentaires ont doublé en 10 ans.
- Les cancers sont de plus en plus fréquents (doublement des cas en 50 ans), de plus en plus précoces et de plus en plus agressifs.
- Le nombre des personnes atteintes par la maladie d'Alzheimer double tous les trois ans...
- Le constat est le même pour l'arthrose, les maladies auto-immunes, la sclérose en plaques, et de nombreuses autres maladies, autrefois pratiquement inconnues : fibromyalgie, syndrome de fatigue chronique, DMLA, etc.

Les maladies fortement influencées par notre hygiène de vie sont donc extrêmement nombreuses et répandues. De façon un peu schématique, elles peuvent être classées en différents groupes :

- les maladies métaboliques : diabète gras de type 2, obésité, dyslipidémies (excès de cholestérol ou triglycérides) ;
- les maladies dégénératives : arthrose, ostéoporose, maladie d'Alzheimer, maladie de Parkinson, mais également les cancers ;
- les maladies liées au dérèglement du système immunitaire : allergies

et maladies auto-immunes : rhumatismes inflammatoires (polyarthrite, spondylarthrite ankylosante, rhumatisme psoriasique), sclérose en plaques, diabète de type 1, psoriasis, etc.

Une liste plus complète est disponible dans le « Questionnaire sur les antécédents » et le « Questionnaire MSQ », joints en annexe. De nombreuses études ont permis de rattacher les augmentations de fréquence de ces nombreuses maladies à des facteurs environnementaux. Par exemple, la répartition géographique des cancers montre que le risque est grossièrement proportionnel au niveau de vie des pays. En outre (et ce point est essentiel), on a constaté que les facteurs environnementaux sont prépondérants sur les facteurs génétiques : alors que les Japonaises vivant au Japon ont un risque faible de développer un cancer du sein, celles qui émigrent aux États-Unis et en adoptent le mode de vie voient leur risque rejoindre progressivement celui des Américaines.

L'augmentation du risque de développer les maladies énumérées ci-dessus a d'abord touché les pays riches, mais elle concerne maintenant l'ensemble de la planète, car – mondialisation oblige – nous exportons également nos mauvaises habitudes alimentaires... Des population autrefois épargnées par certaines maladies sont désormais touchées.

Un triste exemple est fourni par le régime crétois, plusieurs fois millénaire et mondialement célèbre, car la Crète a eu pendant longtemps le taux de mortalité le plus bas d'Europe. Mais les Crétois ont progressivement perdu leurs bonnes habitudes alimentaires, et leur espérance de vie rejoint désormais la moyenne des autres pays d'Europe...

Cette évolution n'est cependant pas une fatalité. L'île d'Okinawa, appartenant à un petit archipel japonnais, est surnommée « l'île des centenaires » : non seulement le taux de centenaires y est l'un des plus élevés au monde, mais surtout, la fréquence des maladies dégénératives citées plus haut y est très basse : arthrose, maladies métaboliques, etc.

Il est donc temps que le transfert des cultures ancestrales cesse de se faire à sens unique, et que les pays riches aient la sagesse d'importer à leur tour ce qui « fonctionne » en prévention humaine ailleurs dans le monde. Toutes les maladies ci-dessus (et bien d'autres !) sont favorisées par une alimentation inadaptée, dans une proportion qui varie de 30 % pour certaines à près de 100 % pour d'autres !

Or nous verrons qu'il suffit d'un changement assez mineur de nos habitudes pour améliorer considérablement notre espérance et notre qualité de vie ; et que ces modifications ne sont d'ailleurs pas désagréables !

Mes propos pourront parfois sembler moralisateurs, voire culpabilisants ; mais ils ne le sont pas, car nous avons tous été intoxiqués à notre insu ! Mon seul but est d'informer ; il s'agit également du devoir de conscience de tout médecin. Nous disposons aujourd'hui de certitudes concernant les risques d'une alimentation inadaptée, chacun reste libre de consommer ce qu'il souhaite, mais il doit le faire désormais en connaissance de cause. La même prise de conscience a eu lieu, il y a une cinquantaine d'années, pour les dangers du tabac : il y a toujours des fumeurs, de même qu'il y aura toujours des adeptes de la « malbouffe », mais il doit s'agir d'un choix éclairé et non subi.

La notion de « terrain »

« Si tu es malade, recherche d'abord ce que tu as fait pour le devenir. »

Hippocrate

« Si quelqu'un désire la santé, il faut d'abord lui demander s'il est prêt à supprimer les causes de sa maladie. Alors seulement il est possible de l'obtenir. »

Hippocrate

« La médecine actuelle ne s'occupe pas de la santé. Elle n'a d'intérêt que pour les maladies. »

Dr Catherine Kousmine

Lorsque nous sommes confrontés à une maladie, **le rôle de l'hérédité est évoqué en premier lieu** ; en réalité, il est rarement prépondérant, et de toute façon, nous ne pouvons pas intervenir dessus pour l'instant. Il est donc bien plus intéressant de se concentrer sur les causes environnementales, sur lesquelles notre influence est beaucoup plus grande. Il est donc possible de parler d'un terrain génétique ou héréditaire, relatif à une certaine faiblesse de nos gènes face à des agressions extérieures, et un terrain environnemental, qui englobe l'ensemble des facteurs liés à notre mode de vie : pollution, alimentation inadaptée, stress…

Ainsi, notre état de santé peut être schématisé par une balance qui penche à la naissance du côté de la parfaite santé dans l'immense majorité des cas. L'hérédité n'est à ce stade qu'une « épée de Damoclès » potentielle pour l'avenir. Mais cette épée tombera plus ou moins tard (voire pas du tout !) en fonction des facteurs environnementaux, qui sont nombreux.

Ce livre est consacré à l'influence de l'alimentation, mais le « poids » des autres facteurs dans l'équilibre de notre balance-santé est tout aussi important : mental, activité physique, etc.

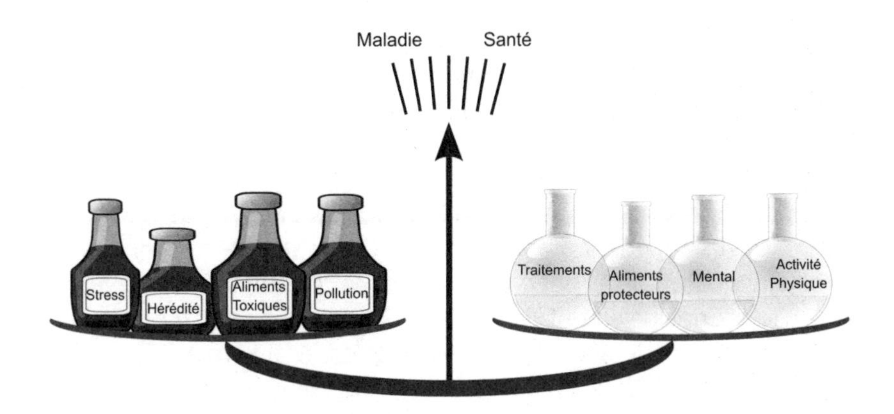

Figure 1 - La balance Santé / Maladie

Ce schéma suggère tout d'abord que l'état de santé ou de maladie n'est pas « tout ou rien », mais qu'il existe un passage progressif de l'un vers l'autre. Ainsi, lorsqu'un cancer est diagnostiqué, il est possible de calculer la date d'apparition de la première cellule tumorale, à partir du temps de doublement cellulaire : la durée d'évolution au stade non détectable (stade pré-clinique) est en moyenne de huit ans ! Durant toutes ces années, la balance est restée penchée du côté de la maladie ; mais si le patient modifie son mode de vie jusqu'à faire revenir la balance du bon côté, le cancer peut rester quiescent, ou même disparaître ! En effet, chacun de nous se débarrasse quotidiennement de très nombreuses cellules cancéreuses. Il est nécessaire pour cela de « charger » le plateau des comportements protecteurs (actions thérapeutiques), et alléger celui des facteurs de risque (prévention).

En cas de maladie déclarée, le traitement médical est souvent le seul moyen utilisé ; il peut s'avérer suffisant à court terme pour repasser du côté de la bonne santé, mais, si le terrain reste déséquilibré, l'état de maladie reviendra à moyen ou long terme, sous différentes formes : poussées évolutives, récidives, ou même nouvelles pathologies. Cette notion est fondamentale, et explique que l'on parle, pour les maladies chroniques, de rémission et non de guérison. **Pour passer de la rémission à la guérison, il est donc indispensable d'assainir le terrain qui a favorisé la survenue de la maladie.**

En réalité, la taille respective des différents « poids » schématisés sur la balance varie considérablement d'une personne à l'autre, et selon les pathologies. Parfois, une cause est largement prédominante : alimentation très déséquilibrée, problèmes émotionnels majeurs... Mais le plus souvent, les raisons sont multiples, et il est donc toujours préférable de proposer une prise en charge globale du terrain.

En particulier, le « poids » du traitement médical dans la guérison est loin d'être toujours supérieur aux autres. Ceci est illustré de façon magistrale par différents travaux qui ont connu un succès considérable dès les années 80. Je citerai principalement deux livres : *Guérir envers et contre tout*, de Carl Simonton, et *L'amour, la médecine et les miracles* du Dr Bernie S. Siegel (pour les références des différents ouvrages cités, le lecteur pourra se reporter à la bibliographie en annexe).

Ces livres traitent principalement des cancers, et démontrent que les patients qui se prennent en charge (nutrition, stress, émotions, pollution, ...) retirent un bénéfice considérable sur l'évolution de leur maladie, comparativement à ceux qui subissent passivement leurs traitements médicamenteux.

Trop souvent, en effet, les patients ont une confiance aveugle dans les traitements qui leur sont proposés. Cette confiance est utile, car elle favorise l'observance du traitement et améliore ses résultats grâce à l'effet placebo (qui est une illustration du pouvoir de la « pensée positive »). Toutefois elle ne doit pas aboutir à négliger les autres facteurs qui influencent l'évolution des maladies : alimentation, mental, mode de vie, qui dépendent directement du patient. Celui-ci ne doit pas être passif, il doit s'impliquer fortement, devenir un acteur de sa santé. Le Dr Alain Bondil, qui m'a apporté sa précieuse expérience, qualifie cette attitude de « syndrome de l'auto-stop » : la personne malade se laisse prendre totalement en charge, et interprète toute complication ou échec comme une incompétence de son thérapeute, ou de la médecine en général. Or, selon le Dr Siegel, seuls 10 à 15 % des patients atteints de cancer manifestent spontanément leur volonté de participer à leur guérison : ils n'acceptent pas de subir les traitements, mais demandent à en être les acteurs. Cet état d'esprit influence très positivement l'évolution de la maladie, au point que B. Siegel avait surnommé ces sujets les « patients extraordinaires ».

Or il est évident que, si l'on explique à tous les patients l'importance de participer activement à leur guérison, le pourcentage de « patients extraordinaires » augmente fortement, pour atteindre environ deux personnes sur trois (un tiers restant néanmoins réfractaire).

Beaucoup plus récemment, le Dr Yann Rougier a publié un livre remarquable : *Se programmer pour guérir*, qui représente une synthèse de trente années de travaux sur cette « prise en charge globale » du terrain. Sa méthode propose cinq outils, ou « leviers », qui visent à restaurer le capital d'autoguérison de l'organisme : la respiration, la nutrition, la détoxication, l'imagerie mentale et enfin la gestion de nos émotions. Ces outils, simples à mettre en œuvre et reproductibles, permettent à chacun de devenir à son tour un « patient extraordinaire ».

Selon le Dr Rougier, les traitements classiques, dépendants des médecins, représentent environ un tiers de la guérison. Un deuxième tiers dépend de l'hygiène de vie : alimentation, respiration et détoxication. Le dernier tiers concerne les causes émotionnelles qui ont abouti au développement de la maladie. Ces notions sont illustrées par le schéma ci-dessous :

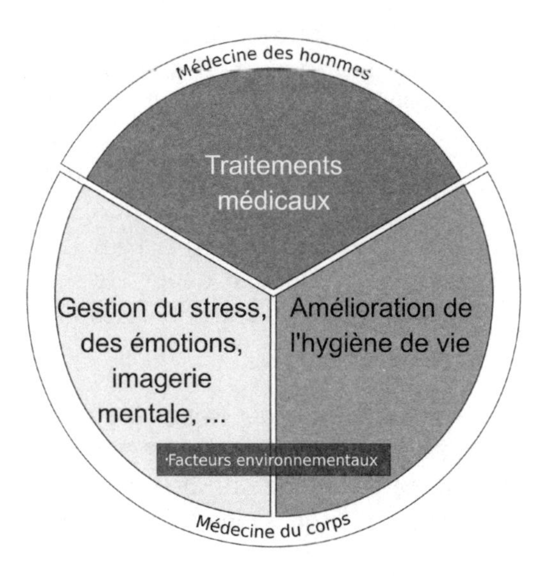

Figure 2 - Traitements, hygiène de vie et blessures émotionnelles

Le premier tiers correspond donc à la « médecine des hommes », souvent efficace et suffisante à court terme. Les deux autres tiers représentent la « médecine du corps » , c'est-à-dire les mécanismes d'auto-guérison de l'organisme (en particulier l'immunité). Seul le patient peut agir directement dessus ; mais il peut néanmoins se faire aider utilement pour cela. Il faut saluer ici l'initiative d'un cancérologue aixois, le Dr Jean-Loup Mouysset, qui vient d'ouvrir le premier centre de prise en charge globale du terrain cancéreux : le Centre Ressource (voir lien Internet en annexe).

Bien entendu, les « tiers » indiqués ici sont schématiques, ils dépendent largement des individus et des maladies. Il est souvent aisé de repérer le facteur primordial de prédisposition à la maladie : les personnes qui ont une bonne hygiène de vie sont particulièrement révoltées, à juste titre, en cas de maladie : « Je ne comprends pas ! Je mange sainement, je fais de l'exercice, je ne fume pas… ». Chez elles , il faut se concentrer plus particulièrement sur les causes émotionnelles.

Passons rapidement en revue les principaux « poids » de notre balance de santé.

L'hérédité

Les facteurs génétiques sont souvent les premiers incriminés lors du diagnostic des pathologies chroniques ou dégénératives : arthrose, diabète, cancer, etc. : « C'est familial ! » Certes, la prédisposition héréditaire existe (« terrain » génétique), mais les facteurs environnementaux participent plus qu'autrefois au déclenchement de la maladie : une femme porteuse d'un gène de prédisposition au cancer du sein (BRCA) a aujourd'hui plus de risques de développer une tumeur que n'en avaient sa mère ou sa grand-mère, pourtant porteuses du même gène. De même, j'ai évoqué l'augmentation du risque de cancer du sein chez les Japonaises émigrant aux États-Unis.

Par ailleurs, les risques transmis d'une génération à la suivante ne dépendent pas que des gènes, mais également de phénomènes culturels : les enfants reproduisent en grande partie le mode de vie de leurs parents ; il est alors difficile de faire la part entre les risques innés et acquis…

Les facteurs génétiques doivent donc être vus comme des points faibles de nos organismes : si notre terrain se dégrade, si nos défenses diminuent, nous développerons telle ou telle maladie en fonction de notre propre fragilité génétique. Et si notre terrain reste déficient, nous développerons ensuite une deuxième maladie, puis une troisième, et ainsi de suite ! Mais si nous restaurons nos défenses, nous serons épargnés.

Le stress, le mental

L'influence de l'esprit sur le corps est fondamentale et indiscutable.

Je prends souvent pour mes patients l'exemple classique du couple « stérile » qui adopte un enfant, et dont la femme se retrouve enceinte quelques mois plus tard... Mais, curieusement, certains médecins n'évoquent cette influence que dans un sens : ils n'hésitent pas à parler de « maladie psychosomatique », mais se montrent dubitatifs dès que leurs patients recherchent une amélioration par le mental, en leur reprochant alors de faire appel à des « médecines parallèles » !

Pourtant, d'excellents résultats peuvent être obtenus grâce aux approches neuro- ou psycho-émotionnelles, sur l'ensemble des maladies chroniques : techniques d'hypnose, d'imagerie mentale guidée, par exemple, qui prennent une place de plus en plus importante dans les hôpitaux américains. Il est impossible de détailler ici les innombrables méthodes de « **guérison du corps par l'esprit** ». Je n'en citerai que deux : l'expérience de Guy Corneau, racontée dans son livre : *Revivre*, et l'approche de Thierry Janssen, exposée sur son site Internet et dans ses nombreux ouvrages (voir la bibliographie).

Face aux maladies « psycho-somatiques », il ne faut pas se priver non plus des techniques « somato-psychiques », c'est-à-dire celles qui permettent de « parler » à l'esprit à travers le corps : c'est le cas de l'acupuncture, des massages thérapeutiques et de beaucoup d'autres.

L'alimentation

Son impact dans la survenue d'une maladie est très variable selon les personnes et les différentes maladies, mais il s'agit d'un facteur de risque désormais parfaitement identifié pour de très nombreuses pathologies. La correction d'une « alimentation-poison » est indispensable. Comme l'explique le Dr Rougier : « Bien manger ne peut suffire à guérir d'un cancer, mais il n'est pas possible de guérir durablement de ce cancer si l'on continue à mal se nourrir ». Très récemment, la Mayo Clinic (une référence mondiale) a publié une liste de toutes les prises en charge bénéfiques pour le traitement des maladies chroniques : l'alimentation y figure en bonne place, aux côtés de l'acupuncture, de la sophrologie, et de nombreuses autres.

L'exercice physique

L'activité physique n'est pas un sujet très éloigné de la nutrition : l'alimentation apporte des nutriments, l'exercice en consomme. Ainsi, un « sucre rapide » ne sera pas néfaste si les calories apportées sont immédiatement utilisées par les muscles : elles seront brûlées et non stockées.

D'autre part, le sport contribue, en mobilisant les réserves graisseuses, à la détoxication de l'organisme, car la plupart des toxines se fixent sur le tissu adipeux.

Le bénéfice d'un exercice physique régulier sur notre santé n'est plus à démontrer : chaque mois apporte de nouvelles publications concordantes sur le sujet, quelles que soient les pathologies dégénératives étudiées : cancers, maladies métaboliques, etc. Mais il est important d'insister sur le caractère régulier et doux de l'activité physique ; le sport intensif est par contre néfaste, source de stress oxydant, de sollicitation cardio-vasculaire, de pathologies articulaires.

Les autres facteurs environnementaux

Ils sont innombrables : polluants de l'air, de l'eau, substances chimiques aux effets totalement inconnus à long terme. Malheureusement, il devient de nos jours impossible de se préserver de tous les risques environnementaux. Pourtant, ces facteurs peuvent avoir un impact considérable sur notre santé, comme l'ont montré plusieurs livres récents. L'excellent ouvrage : *Vérités sur les maladies émergentes*, de Françoise Cambayrac, met en avant le rôle majeur des métaux lourds. *Notre poison quotidien*, de Marie-Monique Robin, incrimine plus largement tous les polluants chimiques. Avec ses *Solutions locales pour un désordre global*, Coline Serreau s'intéresse aux erreurs de notre production alimentaire moderne.

Plus récemment, ce sont les perturbateurs endocriniens, comme certains composants des plastiques, qui sont mis en cause (Bisphénol A, phtalates…). Il est désormais évident que nous ne sommes qu'au tout début d'une prise de conscience globale des risques liés à l'environnement sur notre santé.

Rôle de l'inflammation chronique dans le « terrain » des maladies

Une notion fondamentale, mais encore largement méconnue, s'impose aujourd'hui à nous :

> **le processus biologique qui aboutit à la survenue de toutes les maladies chroniques et dégénératives est identique, bien que ces maladies soient très différentes entre elles.**

Et ce processus déclenchant est désormais bien identifié : en février 2004, le célèbre magazine *Time* fait sa « une » avec le titre choc :

« The Secret Killer – The surprising link between inflammation and heart attacks, cancer, Alzheimer's and other diseases. », que l'on peut traduire ainsi : « Le Tueur de l'Ombre – Le lien surprenant entre l'inflammation et les crises cardiaques, le cancer, la maladie d'Alzheimer et autres maladies. »

Figure 3 - Time, *février 2004 : « The Secret Killer »*

La « grande coupable » est donc désormais identifiée : il s'agit de

L'INFLAMMATION CHRONIQUE,

passage obligé vers toutes les maladies chroniques, dégénératives et environnementales.

Le schéma suivant illustre ce propos :

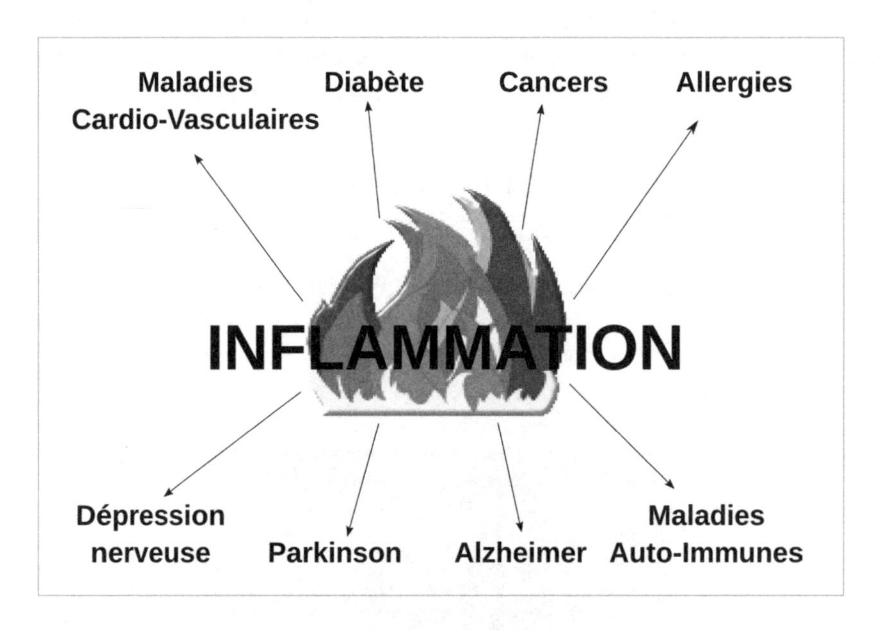

Figure 4 - Le rôle central de l'inflammation chronique

Ce schéma, quoique simple, est intéressant, car il permet d'expliquer de nombreuses constatations qui font régulièrement la « une » des revues médicales, comme par exemple : « Le diabète prédispose aux cancers »... En réalité, si les diabétiques ont un risque accru de cancers, c'est que le mécanisme qui favorise les deux pathologies est identique : l'inflammation chronique !

Mon expérience professionnelle de chirurgien cancérologue depuis plus de vingt ans me permet de confirmer cette notion de « terrain commun » qui prédispose aux maladies ci-dessus : j'ai été frappé de constater que mes patients, atteints de tumeurs cancéreuses, étaient également plus souvent concernés par des maladies auto-immunes ou dégénératives que le reste de la population générale. Ce risque accru s'explique parfaitement lorsque l'on sait que les « mécanismes favorisants » sont identiques.

L'actualité vient encore confirmer cette notion : une étude récente, publiée dans la prestigieuse revue médicale *The Lancet*, montre que la prise prolongée d'acide acétylsalicylique (la célèbre Aspirine®, chef de file des anti-inflammatoires non-stéroïdiens) diminue significativement le risque de développer un cancer colorectal. Ce constat ne peut suffire à recommander la prise régulière d'Aspirine® (en raison de ses effets secondaires), mais nous verrons que nous pouvons obtenir une efficacité préventive au moins équivalente sur de très nombreuses maladies grâce à une « alimentation anti-inflammatoire », et cela sans aucun effet secondaire !

Ce rôle protecteur de l'Aspirine® avait déjà été établi, il y a de nombreuses années, pour les maladies cardio-vasculaires. Certes, les doses utilisées en prévention sont inférieures aux posologies efficaces contre l'inflammation aiguë, mais elles sont suffisantes pour réduire l'inflammation chronique.

La mise en évidence du rôle central de l'inflammation chronique est une avancée considérable, car elle laisse entrevoir la possibilité d'agir sur la cause commune des nombreuses maladies de civilisation, bien plus efficacement que par les traitements dits symptomatiques, qui n'agissent que sur leurs conséquences.

En effet, tous les médicaments anti-inflammatoires ont malheureusement de nombreux effets secondaires qui empêchent de les utiliser sur le long terme. Pour agir efficacement et sans risques, il est donc nécessaire de se poser une nouvelle question : quelle est la cause de ces états d'inflammation chronique ?

Nous verrons, au cours des prochains chapitres, qu'une alimentation inadaptée ou déséquilibrée est une cause fondamentale d'inflammation cellulaire globale. Nous disposons désormais d'un fil conducteur qui établit les liens entre l'alimentation et les maladies de civilisation, comme l'illustre le schéma de la page suivante.

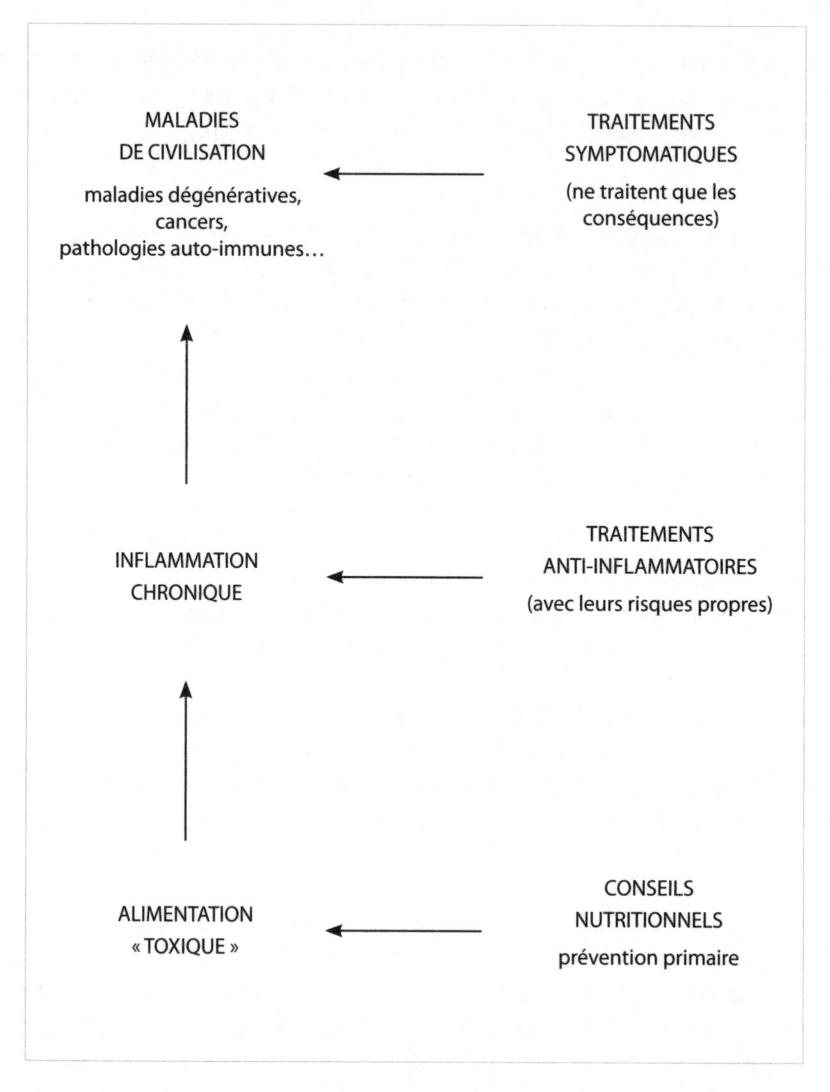

Figure 5 - De l'alimentation aux maladies de civilisation : l'inflammation chronique

Ce schéma appelle deux remarques :

- les manifestations de l'inflammation peuvent être très variables d'une personne à l'autre : maladie grave, ou simples symptômes gênants en « -ite » : ce suffixe signifie inflammation, comme dans sinusite ou tendinite, mais aussi cellulite, folliculite (qui caractérise l'acné), etc.

- l'alimentation est une cause majeure d'inflammation chronique, mais ce n'est pas la seule. Par exemple, certaines maladies infectieuses (comme la maladie de Lyme, transmise par des tiques) se manifestent par des symptômes à long terme qui peuvent être très proches de ceux d'une intolérance alimentaire. Ces maladies sont parfois difficiles à diagnostiquer, et sont loin d'être toutes recensées...

Si le rôle de l'inflammation chronique n'est reconnu que depuis peu dans la genèse de nombreuses maladies, la notion d'aliments inflammatoires est pourtant identifiée depuis plus de cinquante ans, en particulier grâce aux travaux du Dr Kousmine, dont nous reparlerons. Il s'agit pour l'essentiel des produits qui ont subi des transformations industrielles : raffinage, chauffage, traitements chimiques...

Il est donc fondamental de comprendre qu'il existe :

- des aliments responsables d'une inflammation, qui ont une action toxique ;
- des aliments « anti-inflammation », qui ont donc un effet protecteur sur la santé ;
- et des états d'intolérance à certains aliments, également à l'origine d'une inflammation chronique. Cette notion est certainement la plus innovante de ce livre, c'est elle que nous aborderons en premier.

Les lecteurs désireux d'en savoir davantage sur l'inflammation et ses causes peuvent se reporter à la section suivante, « *Pour en savoir plus* », un peu technique.

Ce qu'il faut retenir :

Un état inflammatoire persistant favorise fortement la survenue de toutes les maladies chroniques et dégénératives.

Cet état peut être provoqué, favorisé et entretenu par une alimentation inadaptée.

Fort heureusement, nous pouvons agir de multiples façons non médicamenteuses sur les causes de cette inflammation cellulaire globale.

Pour en savoir plus :

Qu'est-ce que l'inflammation ?

La réaction inflammatoire est un processus naturel de défense de l'organisme face à diverses agressions extérieures : agents infectieux, brûlure, etc.

L'inflammation aiguë, c'est-à-dire d'apparition rapide, est connue de tous : ses signes ont été décrits de façon magistrale, dès le IIe siècle après J.-C., par le philosophe grec Celse : « rubor, calor, tumor, dolor » (rougeur, chaleur, tuméfaction, douleur). Ces symptômes, ainsi que le terme « inflammation », évoquent bien le feu (ils apparaissent d'ailleurs en cas de brûlure).

Mais il existe une autre forme beaucoup plus sournoise et donc mal identifiée par les personnes qui en sont victimes : il s'agit de l'inflammation chronique (c'est-à-dire à bas bruit, mais persistante).

Dans ce cas, le feu peut couver pendant longtemps, souvent plusieurs années, avant de se manifester sous forme de maladies très diverses. Dans l'intervalle, les symptômes sont si variés, lorsqu'ils existent, qu'ils ne favorisent pas l'identification de cette cause commune qu'est l'inflammation chronique. En effet, les signes de l'inflammation aiguë, si révélateurs, sont ici masqués, difficiles à mettre en évidence. Ils peuvent cependant persister : douleurs et ballonnements abdominaux après ingestion d'aliments non tolérés, par exemple.

L'on peut ainsi comparer l'inflammation chronique à un feu couvant sous la braise, pouvant se réveiller des années plus tard, comme ces incendies qui repartent plusieurs jours après que les flammes ont disparu. Disparition des signes inflammatoires perceptibles, mais persistance d'une « guerre » biochimique larvée.

Les mécanismes de défense mis en place par l'organisme pour se protéger finissent donc, avec le temps, par se retourner contre lui : si l'inflammation aiguë est utile, l'inflammation chronique, issue d'un agresseur persistant, devient néfaste. Reste à déterminer les causes de ces agressions chroniques.

L'alimentation est assurément l'une des principales, à travers les nombreux mécanismes déjà évoqués : déséquilibres en acides gras, index glycémiques élevés, hyper-perméabilité intestinale… Ainsi, trois fois par jour au minimum (et souvent davantage !), certains aliments vont agresser l'organisme, et être responsables de cette inflammation chronique si redoutable.

Mais les signes biologiques de l'inflammation aiguë (vitesse de sédimentation, C-reactive protein) sont un reflet peu fiable de l'inflammation chronique, qui reste difficile à mesurer. Le PINI (index pronostic inflammatoire et nutritionnel) et la CRP ultra-sensible sont plus précis.

NF kappa B est un médiateur chimique (une sorte de messager cellulaire) qui joue un rôle absolument central dans toute réaction inflammatoire, ce qui l'a fait surnommer par Vincent Castronovo le « maître de la guerre »... Mais cette substance ne peut être dosée dans le sang.

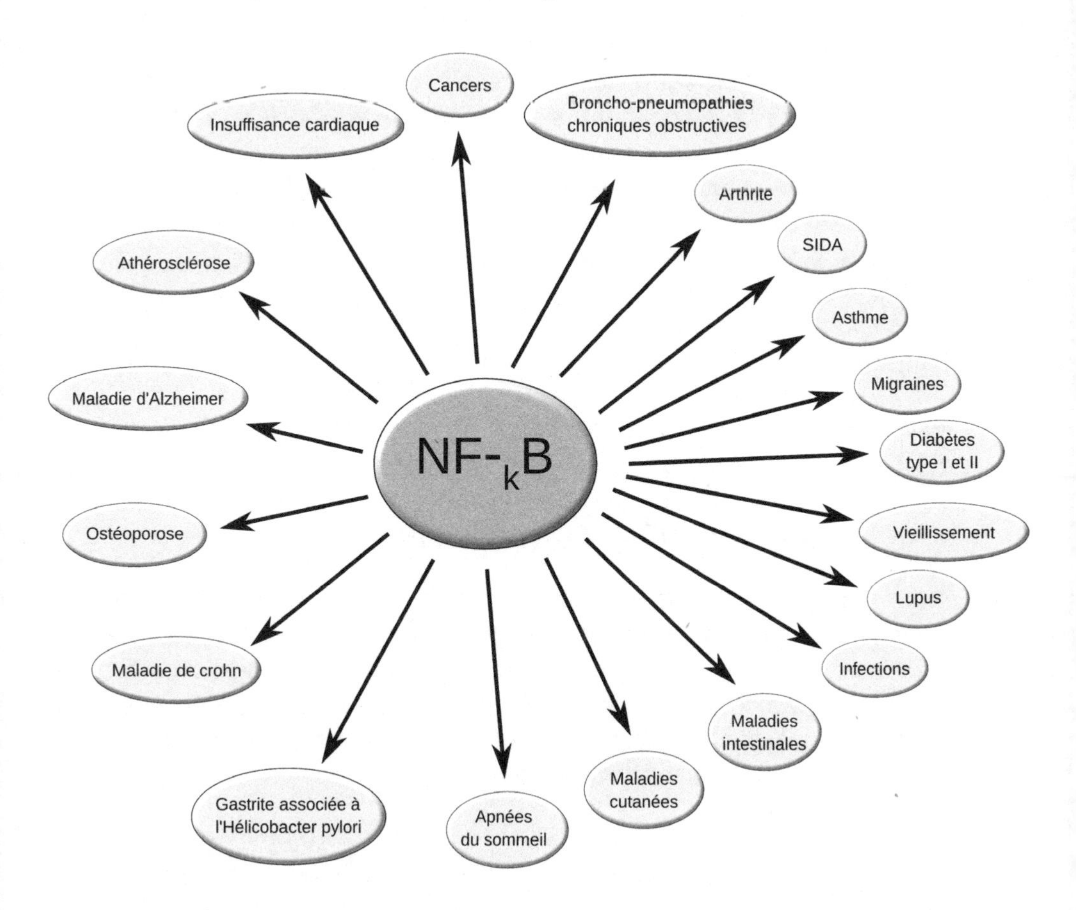

Figure 6 - NF kappa B, le « maître de la guerre »

Ainsi donc, la grande coupable serait enfin identifiée !?!

En partie seulement, car l'inflammation, cette « tueuse de l'ombre », coexiste souvent, à des degrés divers, avec un dérèglement du système immunitaire, pour aboutir à une véritable « association de malfaiteurs ».

Contrairement à la réaction inflammatoire, la réaction immunitaire peut se définir comme un système de défense ciblé contre un ennemi précis. La cible s'appelle l'antigène, les armes utilisées pour le combattre peuvent être soit des anticorps, soit des cellules tueuses.

Lorsqu'elles dépassent leur but, les réactions immunitaires de l'organisme peuvent aboutir à deux situations pathologiques : les réactions allergiques, dont la fréquence est en pleine explosion, et les maladies « auto-immunes », où l'organisme semble s'attaquer à ses propres cellules. Cette situation peut survenir en cas de similitude entre des antigènes étrangers (bactéries, particules alimentaires...) et ceux de certains tissus (la thyroïde, par exemple, aboutissant à une thyroïdite auto-immune). On pourrait assimiler ce phénomène à des « bavures » de la part de nos mécanismes de défense : à force de devoir réagir contre divers agresseurs durant des années, l'organisme peut faire les frais de cet état de guerre permanent, certains tissus sains subissant des « dommages collatéraux » (en réalité, les mécanismes de l'auto-immunité sont beaucoup plus complexes).

L'union entre un antigène (une particule alimentaire, par exemple) et l'anticorps dirigé contre lui aboutit à la création de « complexes immuns circulants », insolubles, qui peuvent être à l'origine de « pathologies d'accumulation » dans différents organes : néphropathie à IgA, par exemple.

Avec le temps, un état de tolérance immunologique apparaît : le système immunitaire est extrêmement complexe, il possède de nombreux niveaux de régulation, qui ont pour but d'empêcher son emballement. Ceci peut aboutir à un état de tolérance excessive de l'organisme, ce qui favorisera l'apparition des cancers : les cellules tumorales, qui sont habituellement reconnues et détruites par notre immunité, deviennent tolérées.

De façon surprenante au premier abord, les états d'hyper-immunité et de tolérance immunitaire semblent coexister chez les patients qui développent successivement une maladie auto-immune puis un cancer. Mais la contradiction n'est qu'apparente, d'autant que les traitements des maladies auto-immunes font appel à des médicaments qui abaissent l'immunité.

Ainsi, la frontière entre les maladies dégénératives, d'origine inflammatoire, et les maladies auto-immunes s'avère-t-elle fragile : l'arthrose « banale » faisait partie, jusqu'à présent, des premières, mais des auto-anticorps viennent d'être identifiés chez les patients qui en souffrent…

Chapitre

2

Intolérances alimentaires et « encrassement » de l'organisme

L'existence d'un état d'intolérance vis-à-vis de certains aliments est certainement la notion la plus importante abordée dans ce livre, car la plus innovante : elle est encore très largement méconnue, même par le corps médical. Pourtant, cette situation est beaucoup plus fréquente qu'on ne l'imagine : elle concernerait, à des degrés divers, plus d'un quart de la population ! Et il est important de noter que j'ai retrouvé une proportion encore plus élevée chez les patients que je prends en charge pour cancers : environ un tiers d'entre eux sont concernés.

Hippocrate fut, il y a plus de 2000 ans, un grand précurseur dans le domaine de la nutrition : le régime alimentaire constituait pour lui le principal moyen d'agir sur la santé de ses patients, comme en témoigne un de ses écrits : *Régime salutaire*, ainsi que son célèbre serment (dans sa traduction originelle par Émile Littré) : « Je dirigerai le régime des malades à leur avantage, suivant mes forces et mon jugement… ».

De façon plus surprenante, il évoque même, dans l'un de ses ouvrages, la notion de « seuil quantitatif » pour chaque aliment : « administrer les aliments en quantité telle que le corps puisse les surmonter… quand on dépasse le point critique, le contraire survient ». Nous verrons que ce précepte reste tout à fait d'actualité !

Mais c'est le Dr Jean Seignalet (1936 – 2003) qui fut le véritable précurseur de cette notion d'intolérances alimentaires.

Ce médecin montpellierain fut un immunologiste de renom, l'un des pionniers de la transplantation rénale en Languedoc-Roussillon. Ses travaux sur les maladies immunitaires, dont la polyarthrite rhumatoïde, l'amenèrent à entrevoir le rôle fondamental de l'alimentation. Sur ce sujet également, son travail fut considérable, à la fois sur le plan théorique (physio-pathologique) et clinique, avec une série de 3500 patients traités par son régime, et suivis pendant 5 ans et demi en moyenne.

Je renvoie les lecteurs intéressés par les travaux de Jean Seignalet aux tableaux en annexe (Résultats du régime hypotoxique, p.198).

Définitions de l'intolérance alimentaire et de l'hyper-perméabilité intestinale

Les intolérances alimentaires

Certaines personnes voient leur santé s'améliorer considérablement lorsqu'elles arrêtent de consommer tel ou tel aliment. Cette situation a été appelée « intolérance alimentaire » par Jean Seignalet, et je conserverai cette appellation. La définition est donc avant tout clinique (c'est-à-dire basée sur l'observation) ; mais il est possible, le plus souvent, de retrouver dans le sang de ces patients des anticorps dirigés contre certains aliments, ce qui permet alors de confirmer le diagnostic au niveau biologique.

Il est important de préciser que **les intolérances alimentaires ne doivent pas être confondues, comme c'est souvent le cas, avec les allergies alimentaires**, dont le mécanisme, les risques et les traitements sont très différents.

L'hyper-perméabilité intestinale

L'hyper-perméabilité intestinale (ou porosité intestinale, « leaky gut » pour les Anglo-saxons, que je noterai parfois par les initiales HPI) est à la fois une cause et une conséquence de ces intolérances alimentaires.

Dans les conditions normales, la paroi intestinale, malgré sa très faible épaisseur (quelques millièmes de millimètre pour l'unique couche de cellules intestinales, et quelques millioniémes de millimètre si l'on considère la seule membrane cellulaire !), reste imperméable aux substances étrangères, indésirables. Les molécules utiles à l'organisme sont absorbées, soit par diffusion passive pour les plus petites d'entre elles (eau, certains ions), soit par capture active grâce à des pompes membranaires : c'est le cas du glucose, par exemple.

Or, dans certaines circonstances, cette barrière intestinale peut devenir poreuse, perméable à des molécules non assimilables. En réalité, ce ne sont pas les cellules intestinales qui deviennent « poreuses », mais les jonctions entre ces cellules, appelées jonctions serrées.

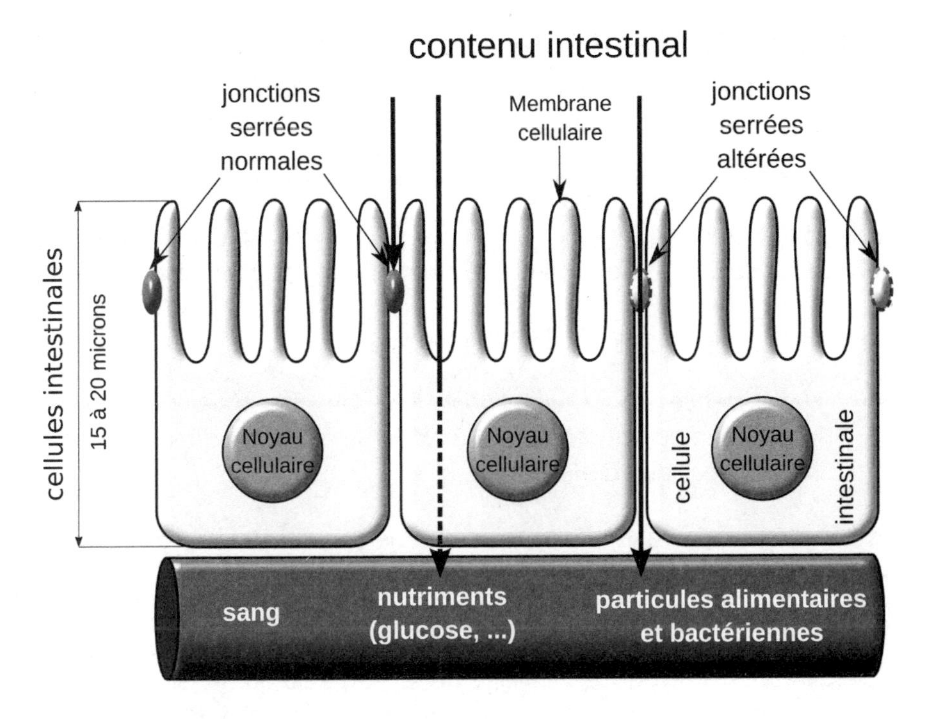

Figure 7 - Mécanisme de la porosité intestinale

Le passage dans le sang de ces particules non assimilables est à l'origine de réactions inflammatoires et immunologiques, qui prédisposent à toutes les maladies chroniques. L'exemple le plus caricatural est celui de Jane Plant, qui aurait guéri d'un cancer du sein de stade avancé en arrêtant de consommer des produits laitiers ! Son expérience est relatée dans son livre : *Votre vie entre vos mains* (mais ce cas « mono-factoriel » est exceptionnel , et reste à confirmer).

L'état de porosité intestinale peut également être authentifié par des dosages sanguins ou des tests fonctionnels.

Diagnostic des intolérances et de l'hyper-perméabilité intestinale

Avant d'établir un diagnostic d'intolérance alimentaire, il est nécessaire d'en suspecter l'existence ; l'interrogatoire médical est suffisant, dans la grande majorité des cas. Il se base sur deux informations complémentaires :

- l'existence de symptômes évocateurs ;
- et l'existence de certaines maladies dans les antécédents, sur lesquelles nous reviendrons en détail : maladies auto-immunes, cancers, maladies dégénératives.

Les symptômes évocateurs d'un état d'intolérance ont été recensés par différents questionnaires. J'utilise pour ma part le « MSQ » (*Medical Symptom Questionnary*), reproduit en annexe (p. 192), afin d'estimer, très simplement, le degré d'« intoxication » de l'organisme. Une « intoxication » débutante de l'organisme est évoquée à partir d'un score de 30 ou 40 points, mais certains sujets obtiennent un total supérieur à 150 points ! Plus le score obtenu est élevé, et plus l'intolérance alimentaire et la porosité intestinale sont probables.

Je vous conseille de remplir, sans plus attendre, ce questionnaire. Vous constaterez ainsi que de nombreux symptômes, qui empoisonnent notre vie au quotidien, sont liés à une intoxication qui peut être causée par des intolérances ; mais ces troubles sont devenus tellement courants qu'on a fini par les considérer comme inévitables, liés au vieillissement par exemple. Ainsi, pour expliquer une fatigue croissante, des douleurs abdominales ou articulaires, une ostéoporose, l'âge est souvent évoqué, mais à tort ! Et l'origine de ces symptômes n'est pas reconnue par la plupart des médecins (c'était mon cas il y a peu), faute d'avoir été enseignée. Les patients qui en sont atteints subissent donc toute une panoplie d'examens pas toujours agréables, jamais anodins (radiographies, endoscopies…) et toujours coûteux, et ils repartent souvent au bout de ce périple avec le diagnostic de « maladie psychosomatique ». Il s'agit en réalité de la façon la plus fréquente, pour un médecin, de dire à son patient : « Je ne connais pas l'origine de vos troubles » ; mais ce « diagnostic » est souvent culpabilisant pour la personne qui souffre de ces problèmes, au point de conduire parfois à des consultations dites « spécialisées » : psychologue, psychiatre…

Or, les nombreux symptômes recensés dans ce questionnaire ne sont pas une fatalité ; ils ont une cause et peuvent être combattus efficacement en retrouvant en particulier une alimentation adaptée à notre physiologie. De nombreux lecteurs pourront juger par eux-mêmes de l'efficacité des conseils prodigués, lorsqu'ils verront disparaître en quelques semaines différents problèmes qu'ils subissaient depuis de nombreuses années, sans en connaître la cause ni les traitements efficaces.

Vous aurez pu constater que la plupart des symptômes du questionnaire ne sont pas directement évocateurs d'une origine digestive ; le schéma suivant permet de comprendre les raisons de ces manifestations atypiques d'intoxication alimentaire, secondaires à un état de porosité de l'intestin.

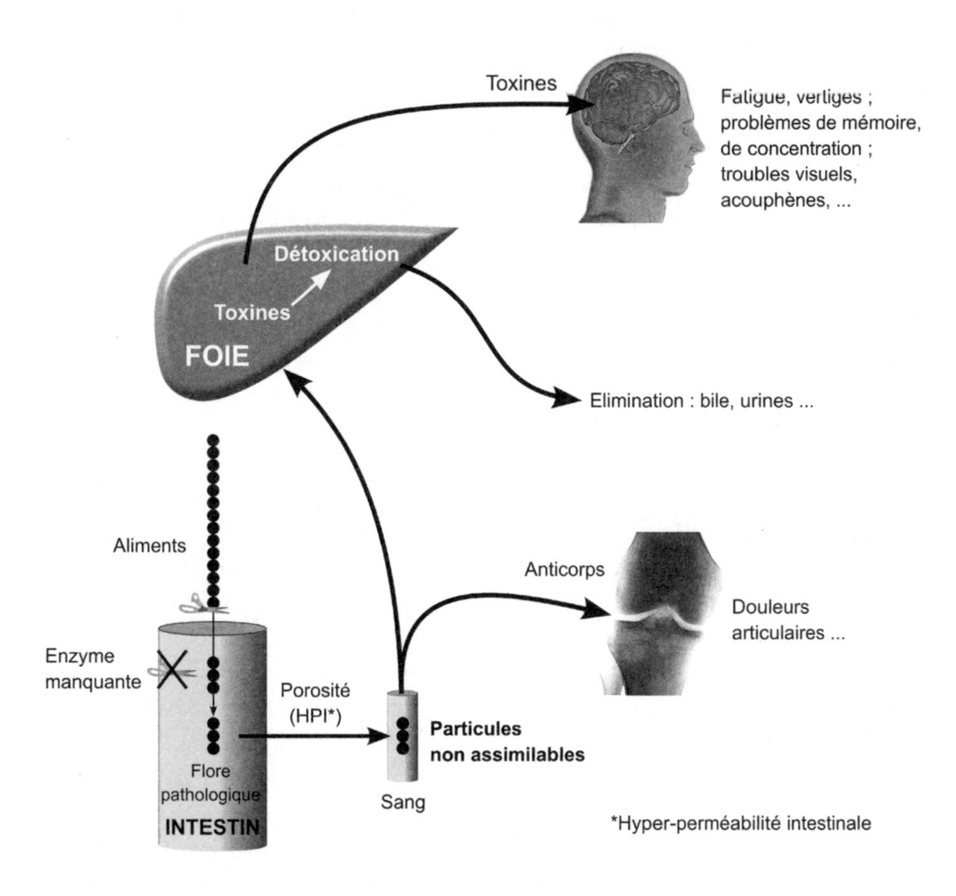

Figure 8 - Les symptômes de l'hyper-perméabilité intestinale

Lorsque des substances non assimilables passent dans le sang, le foie joue un rôle irremplaçable de détoxication, de « filtre actif ». Au stade de porosité débutante, il va parvenir à neutraliser ces particules étrangères, et les seuls symptômes seront d'ordre digestif : douleurs, ballonnements, spasmes abdominaux (les trop célèbres « colites spasmodiques » et « colopathies fonctionnelles »). Mais lorsque la capacité de détoxication est dépassée, le système nerveux devient la principale victime des particules toxiques : fatigue, surtout après les repas, troubles de la mémoire, de la concentration, de la vue, vertiges, maux de têtes, réveils nocturnes, etc.

Il est important de noter que l'efficacité du « filtre » hépatique dépend fortement de facteurs génétiques : or, il existe une grande inégalité entre les individus. Ceci explique que, pour une même intoxication (par exemple, le même tabagisme), les conséquences peuvent être très différentes d'une personne à l'autre. La nature est loin d'être équitable ! La notion de filtre hépatique explique également l'amélioration ressentie à la suite d'une cure de détoxication (cf fiche pratique en annexe, « La détoxication de l'organisme », p. 180) : ces cures sont bénéfiques, mais elles n'agissent pas sur les causes des symptômes : les améliorations obtenues seront donc transitoires.

Les autres organes de détoxication et d'élimination sont les reins, la peau et les muqueuses. Ceci explique les fréquentes manifestations cutanées et ORL : démangeaisons, psoriasis, sensation de nez bouché, toux irritative, etc.

Certaines personnes ressentent elles-mêmes des intolérances à certains aliments, comme par exemple les oignons ou le café. Cette suspicion est à l'origine de la notion d'instinctothérapie, qui prône la confiance aveugle dans une alimentation dictée par notre instinct. En réalité, si le manque d'attirance pour tel ou tel aliment peut nous inciter à l'éviter, une nourriture entièrement basée sur l'instinct peut être source de carences. Et, dans la pratique, la très grande majorité des personnes qui souffrent d'intolérance n'en ont pas conscience, elles sont très surprises lors de l'annonce de ce diagnostic !

Un second questionnaire, reproduit en annexe (p. 194), est également utile au diagnostic d'intolérance : il s'intéresse aux antécédents médicaux de la personne. Toutes les maladies de cette liste (allergies, ostéoporose, etc.) sont favorisées par le même « terrain », les causes en sont identiques (si les noms de certaines maladies ne vous évoquent rien, cela signifie très probablement que vous n'êtes pas concernés par elles !).

Depuis quelques années, j'ai fait pratiquer des recherches d'intolérances chez mes patients atteints de cancers, et je les ai retrouvées plus fréquemment que dans la population générale. Cette étude n'a pas encore de valeur statistique suffisante, mais il serait facile de généraliser ces recherches aux patients qui souffrent des différentes maladies de la liste : fibromyalgie, sclérose en plaques, polyarthrite rhumatoïde, maladie d'Alzheimer…, et de les comparer à une population saine. À ma connaissance, cela n'a jamais été fait.

La liste en annexe n'est pas limitative, il est très probable que l'on pourra y ajouter l'ensemble des maladies inflammatoires chroniques : les mastopathies bénignes (mastoses), l'endométriose, l'ovarite scléro-kystique, pour n'en citer que quelques-unes.

Causes des intolérances alimentaires et de l'hyper-perméabilité intestinale

Trois phénomènes principaux sont impliqués dans les états d'intolérances alimentaires :

- la mauvaise assimilation de certains aliments par le tube digestif ;
- la survenue d'une porosité intestinale ;
- le déséquilibre de la flore intestinale.

La mauvaise assimilation de certains aliments par le tube digestif

Selon Jean Seignalet, les intolérances concernent essentiellement les aliments pour lesquels notre patrimoine enzymatique, d'origine ancestrale, n'est pas adapté.

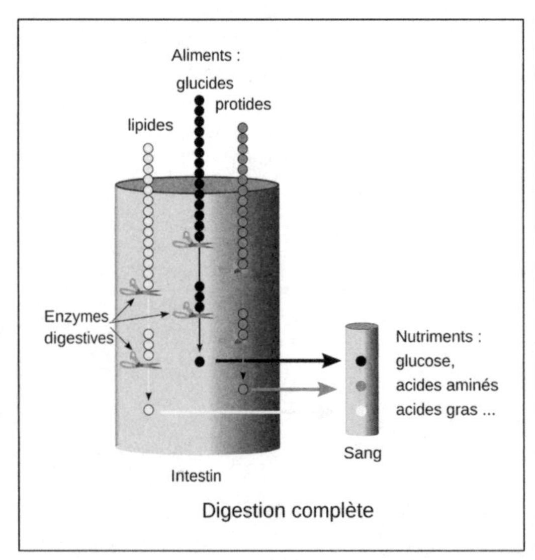

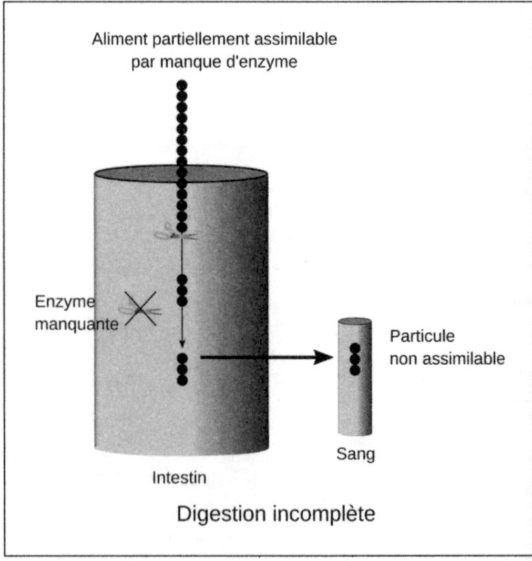

Figure 9 - Certains aliments sont incomplètement digérés.

Les aliments peuvent être comparés à des colliers de perles, chaque « perle » étant un composant de base utilisable par l'organisme, appelé nutriment. Les principaux nutriments sont : le glucose pour les sucres, les acides gras pour les graisses, les acides aminés pour les protéines. Les « perles » sont progressivement détachées du collier pendant la digestion, en particulier grâce à des enzymes, qui permettent donc de rendre les aliments assimilables par l'organisme.

Mais notre nourriture, au cours des siècles, a été profondément modifiée : les céréales sont désormais issues de croisements, le lait est pasteurisé à haute température, nos aliments sont cuits ; ces modifications seraient à l'origine de substances peu compatibles avec le capital enzymatique ancestral de l'espèce humaine. De même, la fréquence élevée des intolérances aux aliments exotiques peut s'expliquer par le fait que nous ne possédons pas les enzymes adaptées à leur digestion. Enfin, certaines intolérances sont consécutives non pas à une absence, mais à une insuffisance en enzymes : c'est probablement le cas pour le blé, qui représente désormais plus de la moitié de nos apports nutritionnels. Notre capacité enzymatique à digérer les aliments n'est pas illimitée, nous rejoignons là le bon sens d'Hippocrate : « administrer les aliments en quantité telle que le corps puisse les surmonter… quand on dépasse le point critique, le contraire survient ». C'est le début des « intolérances ».

Les causes de « porosité intestinale »

Les principaux facteurs qui favorisent l'hyper-perméabilité intestinale sont les suivants :

- l'alcool ;
- les anti-inflammatoires (stéroïdiens ou non), qui agressent directement les cellules de l'intestin ;
- la plupart des chimiothérapies anti-cancéreuses ;
- les métaux lourds ;
- le stress : tout le monde a entendu parler des « ulcères de stress », mais une expérience déjà ancienne est également édifiante : si l'on fait entendre à des cochons des cris d'animaux menés à l'abattoir, on retrouve dans leur sang de grandes quantités de bactéries intestinales ! Le stress rend l'intestin poreux !

L'importance de la flore intestinale

Les bactéries sont nos alliées ! Du moins, est-ce le cas à l'état physiologique au niveau du tube digestif : les micro-organismes qui s'y trouvent interviennent dans un certain nombre de réactions chimiques indispensables à une bonne digestion. Et ils sont nombreux et variés ! Si notre organisme est composé de dix mille milliards de cellules différentes, ce sont dix fois plus de bactéries qui sont hébergées en permanence dans nos intestins !

Certes, ce bel équilibre est parfois rompu (en cas de « turista » par exemple !), lorsqu'une souche bactérienne se développe en trop grande quantité.

Durant des siècles, une cause importante de modification de la flore intestinale a été la rencontre de nouvelles bactéries, à l'occasion des migrations de populations. Dans son livre, Jean Seignalet relate, de façon passionnante, l'apparition des premiers cas de polyarthrite rhumatoïde en Europe à l'occasion du retour des soldats après les guerres de sécession, car ils auraient rapporté avec eux une bactérie : *Proteus mirabilis* !

De nos jours, ces déséquilibres de la flore seraient soit constitutionnels (on parle alors de dysbiose), soit favorisés par une alimentation trop sucrée ou trop riche en viandes, un traitement antibiotique, ou des médicaments anti-acides gastriques (l'acidité de l'estomac étant une barrière naturelle contre la colonisation intestinale par les germes ingérés avec les aliments).

Le terme de micro-organismes regroupe :

- les bactéries ;
- les virus ;
- certains champignons ;
- certains parasites.

Les bactéries

Ce sont les principales représentantes de la flore intestinale normale ; il en existe une grande variété, dont les entérocoques (la racine grecque « *entéro* » désigne l'intestin). Cette population représente un véritable écosystème en déséquilibre permanent, sous l'influence physique et chimique de notre alimentation : acidité, types de nutriments, etc.

Il est important de comprendre que deux types de flores sont en compétition :

- l'une dite de fermentation, utile et protectrice, est à l'origine des gaz intestinaux, qui sont donc physiologiques ; mais cette fermentation peut devenir excessive et donc gênante (ballonnements), en particulier en cas de candidose digestive ;
- l'autre dite de putréfaction, à l'origine de substances toxiques (et malodorantes…). Ce type de flore est favorisé par une alimentation riche en viandes.

Il est donc important de préciser que les selles normales ne sentent pratiquement pas. Des gaz et des selles malodorantes témoignent d'une flore déséquilibrée, à l'origine d'une intoxication permanente de l'organisme. Le Dr Catherine Kousmine, dont nous reparlerons, fut l'une des premières à définir très précisément (dans son dernier livre : *Sauvez votre corps*) ce qu'est une selle normale ! Il faut dire qu'à son époque, elle ne disposait pas des moyens actuels (tests sanguins ou urinaires, analyse bactériologique des selles) pour dépister les déséquilibres de la flore intestinale.

Là encore, Hippocrate étonne par sa clairvoyance :

« Selon toute vraisemblance, la source des maladies ne doit pas être ailleurs que dans les vents ou les pets selon qu'ils sont en excès ou en défaut, ou bien qu'ils entrent dans le corps trop nombreux ou souillés de miasmes morbifiques. » Tout est dit…

Outre l'odeur, l'aspect des selles permet de diagnostiquer un excès d'apport en graisse, ou une insuffisance de leur assimilation : les selles deviennent grasses, collantes. La cause principale est une carence en bile, indispensable à la digestion des lipides, en particulier dans les situations de stress : l'expression « se faire de la bile » s'accompagne bien d'un dérèglement de la sécrétion biliaire !

Quant aux selles trop liquides, elles sont en rapport avec la présence d'un excès d'eau par inflammation intestinale ; il s'agit d'un symptôme assez constant et très évocateur d'intolérances alimentaires.

Les virus

Ils n'ont pas de rôle physiologique ; lorsqu'ils se développent de façon excessive, ils sont responsables de gastro-entérites.

Les champignons microscopiques intestinaux

Ils sont largement dominés par le *Candida albicans*, qui est présent en faible quantité à l'état normal, mais dont la prolifération excessive est responsable des candidoses : buccale, intestinale ou génitale. Ces levures prolifèrent en milieu acide, consécutif en particulier à une alimentation trop riche en sucres.

Les parasites intestinaux

Leur présence est toujours pathologique, qu'ils soient unicellulaires, comme les amibes, ou pluricellulaires, comme les vers.

Les intolérances alimentaires, l'hyper-perméabilité intestinale et les déséquilibres de la flore intestinale sont indissociables, ils sont systématiquement intriqués à des degrés divers. Leur traitement devra donc être global.

Les aliments en cause dans les intolérances

Ils sont principalement au nombre de quatre :

- les céréales, en particulier le blé ;
- les produits laitiers ;
- les œufs ;
- les aliments exotiques : vanille, café, kiwi, etc.

Pour tous ces aliments, ce sont essentiellement les protéines qui sont responsables des intolérances. Les sucres et les graisses sont plus rarement en cause.

Les intolérances aux céréales

Les intolérances aux céréales sont dues au fait que les produits actuels sont très différents de ceux qui composaient l'alimentation de nos ancêtres : par exemple, les blés modernes contiennent 14 paires de chromosomes (pour le blé dur) et même 21 paires (pour le blé tendre, ou froment), contre 7 paires pour les espèces sauvages. Ces différences se retrouvent avec la plupart des autres céréales (seigle, avoine, maïs…), sauf le riz, qui reste donc pour l'instant un aliment « refuge » en cas d'intolérances. Je renvoie les lecteurs intéressés à la section « *Pour en savoir plus* » à la fin de ce chapitre.

La quantité des apports quotidiens est également fondamentale : les aliments à base de blé représentent de nos jours une part largement prépondérante de notre ration journalière : pain, pâtes, biscuits, pizzas, etc. Et si vous regardez la composition des aliments industriels, vous remarquerez qu'il est très difficile d'en trouver qui ne contiennent pas de dérivés du blé (et de protéines de lait) !

En cas d'intolérances aux céréales, le gluten est le plus souvent mis en cause. Mais il n'est pas le seul responsable !

Qu'est-ce que le gluten ? Il s'agit d'un mélange de protéines et d'amidon qui a pour effet de rendre panifiables les céréales qui en contiennent (c'est-à-dire de permettre à la pâte de lever). Ces protéines sont représentées par la gliadine pour le blé, mais il existe d'autres substances équivalentes propres à chaque céréale, comme l'avénine pour l'avoine.

Ainsi, les blés (blé dur, froment, boulghour, épeautre…), le seigle, l'orge, l'avoine contiennent du gluten (ou équivalent) en quantité variable. Parmi les blés, le petit épeautre et le kamut en contiennent peu.

Par contre, le riz (même glutineux), le maïs, le millet, le sarrasin, le quinoa et l'amarante sont des céréales sans gluten.

Mais les analyses biologiques peuvent révéler des intolérances vis-à-vis d'autres constituants des céréales : protéines de seigle, d'avoine, et surtout du froment.

Le froment est l'autre nom du blé tendre, il est utilisé presque systématiquement pour la fabrication du pain et des pâtisseries, parfois même pour les pâtes alimentaires. L'intolérance au froment est très fréquente, au moins autant que celle au gluten.

Une mention spéciale concerne la levure de pain : son intolérance n'est pas exceptionnelle, elle doit être reconnue, et **il faut donc privilégier systématiquement les pains au levain**.

Dans l'exemple ci-dessous, les taux d'anticorps du patient sont matérialisés pour chaque aliment par les traits noirs horizontaux ; le taux normal est représenté par la zone verte ; les zones jaune, orange et rouge correspondent à une intolérance de plus en plus marquée. Ici, d'après les résultats, la personne devra seulement éviter le froment (et donc le pain et les pâtisseries, qui en contiennent), mais devrait tolérer le blé dur (pâtes et semoule, en particulier), car il n'y a pas d'intolérance au gluten (gliadine).

Céréales	U / mL	Vert	Jaune	Orange	Rouge
Froment	100,4				
Soja	1				
Maïs	1				
Riz	1				
Gliadine	1,3				

Figure 10 - Recherche d'intolérances aux céréales

La présence de plus en plus fréquente d'un rayon « sans gluten », jusque dans les hypermarchés, témoigne de la réalité et de la fréquence de ce type d'intolérance, alors qu'elle n'est encore que très rarement recherchée. En Italie, ces aliments se trouvent facilement depuis de nombreuses années… ce qui est un comble pour le pays des pâtes !

Les intolérances au lait

Il est important de préciser d'emblée que les intolérances au lait concernent très rarement le lactose (qui est un sucre), sauf chez les enfants. Depuis quelque temps, des laits sans lactose sont proposés aux consommateurs ; ce marché témoigne d'une reconnaissance implicite, de la part des distributeurs, de la fréquence des intolérances aux produits laitiers. Mais ces nouveaux produits ne règlent pas le problème, car les intolérances concernent essentiellement les **protéines** du lait : alpha-lactoglobuline, bêta-lactalbumine et caséine, en particulier.

Les dosages d'anticorps permettent de mieux préciser quelles protéines sont en cause : lait de vache, de chèvre, ou de brebis, comme dans l'exemple ci-dessous :

Produits laitiers	U / mL	Vert	Jaune	Orange	Rouge
Lait de vache	100,3				
Caséine	100,8				
Gouda	1				
Fromage fondu	147,4				
Roquefort	3				
Lait de chèvre	5,8				
Lait de brebis	15,9				
Fromage lait de brebis	4				

Figure 11 - Les intolérances aux produits laitiers

Comment devient-on intolérant au lait ? Plusieurs mécanismes sont en cause, mais le principal tient aux traitements industriels qu'on lui fait subir. La pasteurisation à ultra-haute température (laits UHT) détruit une substance (TGF-β1) qui pourrait être responsable de la tolérance aux lacto-protéines. C'est probablement pour cette raison que les personnes intolérantes au lait tolèrent mieux le beurre et les fromages fabriqués à partir de laits non pasteurisés. Ceci demande néanmoins à être confirmé.

Les intolérances aux œufs

Il s'agit souvent d'une réaction au blanc d'œuf, qui contient les protéines. Mais le jaune peut également être en cause.

Divers	U / mL	Vert	Jaune	Orange	Rouge
Blanc d'oeuf	45,5				
Jaune d'oeuf	37,4				

Figure 12 - Exemple d'intolérances aux œufs

Notons que les allergies aux œufs sont plus fréquentes que les intolérances, alors qu'elles sont exceptionnelles pour le gluten et le lait.

Les autres intolérances

Les aliments d'origine exotique sont des causes fréquentes d'intolérances ; citons la vanille, le café, la banane, le kiwi... Ces aliments peuvent sembler anecdotiques, mais sont en réalité très utilisés comme arômes naturels. Ainsi, il est très difficile de trouver du chocolat sans vanille, et les intolérances supposées venir du cacao sont en réalité souvent dues à cet arôme. Dans le même ordre d'idée, les réactions aux additifs alimentaires ne sont pas rares, mais il est difficile de les identifier sans bilan biologique.

La mise en évidence d'une intolérance au kiwi et/ou aux bananes est particulièrement importante, car elle peut annoncer la survenue d'une allergie au latex (chimiquement proche), dont les conséquences peuvent être graves.

L'absence d'enzymes adaptées à la digestion des aliments exotiques chez les Occidentaux peut expliquer les phénomènes d'intolérances vis-à-vis de ces produits. Et si l'on pousse ce raisonnement, **il est logique de penser que les aliments issus de graines génétiquement modifiées (les célèbres OGM), seront responsables d'intolérances, car les protéines qui les composent sont différentes de celles du produit naturel, adapté à nos enzymes.** Cela est déjà établi pour les insectes (c'est du reste le but de ces OGM : les rendre non assimilables par les insectes qui s'en nourrissent !). Il me paraît donc indispensable que des recherches d'intolérances soient réalisées à grande échelle avant d'autoriser la culture de ces aliments modifiés.

Enfin, le patrimoine enzymatique des individus diffère en fonction de leur groupe sanguin ; il est possible de trouver ici une explication aux régimes alimentaires adaptés à ces différents groupes. Et au fait que les intolérances au lait et au blé seraient plus fréquentes chez les personnes de groupe O.

Plus généralement, tous les aliments peuvent être responsables d'intolérances. Néanmoins, en cas d'hyper-perméabilité intestinale, les bilans feront apparaître des anticorps multiples (parfois plus de dix aliments différents...) : il s'agit dans ce cas d'une conséquence de l'état de porosité, et non de sa cause : les produits consommés trop fréquemment passent dans le sang et provoquent la formation d'anticorps.

Les limites du bilan biologique

Quelle est la fiabilité des dosages sanguins dans le diagnostic d'une intolérance alimentaire ?

La présence d'anticorps anti-aliments (de type IgG) n'est pas systématiquement retrouvée, même lorsque une intolérance est cliniquement évidente : disparition des symptômes lors de l'exclusion de certains aliments.

Face à cette limite de fiabilité des bilans sanguins, diverses explications peuvent être avancées :

1. Les laboratoires ne peuvent étudier la totalité des antigènes présents dans notre nourriture : il existe dans chaque aliment plusieurs centaines de protéines différentes ; de plus, les réactifs utilisés par les laboratoires sont souvent différents, ce qui peut expliquer des disparités dans les résultats.

2. Les intolérances peuvent concerner des substances très répandues, mais non testées par certains laboratoires : les additifs alimentaires, par exemple (colorants, conservateurs, etc.), dont il existe une grande variété.

3. Les réactions immunitaires sont des phénomènes complexes, qui peuvent faire intervenir d'autres mécanismes que les anticorps IgG. Nous ne sommes qu'au début de l'exploration de ces mécanismes.

4. Quelques laboratoires proposent désormais des recherches d'intolérances par analyse de cheveux. Leur fiabilité reste à confirmer (mon expérience sur quelques cas est prometteuse), mais cette approche est intéressante car il est possible de tester ainsi plusieurs centaines d'aliments, et autant de produits chimiques de l'environnement, pour un coût bien inférieur à celui des bilans sanguins.

Si les analyses ne retrouvent pas d'intolérances alimentaires, les symptômes d'intoxication relevés par le questionnaire peuvent être rattachés à un état de porosité intestinale isolé. Il est possible, depuis peu, de doser dans le sang les endotoxines (des molécules d'origine bactérienne), dont la présence atteste également d'une perméabilité anormale du tube digestif.

Plusieurs équipes de recherche travaillent actuellement sur des anticorps sanguins dirigés contre différentes souches bactériennes, que l'on retrouve très fréquemment lors de nombreuses maladies chroniques : rhumatismes inflammatoires, sclérose en plaques, cancers, etc. La flore intestinale revêt indiscutablement une importance capitale, mais encore mal connue, dans le fonctionnement harmonieux de notre organisme. Il s'agit là d'un domaine de recherche très actif et prometteur.

Des progrès restent donc à faire pour fiabiliser le diagnostic biologique des intolérances alimentaires. Voici l'occasion de rappeler que la médecine doit se baser avant tout sur les symptômes, même lorsque les examens complémentaires sont pris en défaut.

Le traitement des intolérances et de l'hyper-perméabilité intestinale

Le traitement préventif

Les intolérances alimentaires étant de plus en plus fréquentes, il est important de chercher à s'en protéger. Si l'on estime à 20 % l'incidence des intolérances alimentaires, chiffre très certainement sous-estimé, plus d'un milliard d'êtres humains sont concernés, et ce chiffre ne peut qu'augmenter avec la généralisation des OGM : le soja modifié fait déjà partie de la nourriture de très nombreux humains (il est produit à grande échelle en Amérique du Sud). Le problème de santé publique est désormais de portée planétaire.

Il n'existe pas, à ma connaissance, de données chiffrées concernant l'âge moyen de survenue des intolérances alimentaire ; mais elles peuvent être très précoces, dès les premières années de vie, peut-être même dès la naissance (dysbiose congénitale). Il n'y a donc pas d'âge pour les rechercher, devant certains symptômes du questionnaire MSQ : reflux, aphtes, maux de tête...

La prévention des intolérances découle des mécanismes favorisants que nous avons passés en revue. Quelques règles simples sont à retenir :

- consommer autant que possible des aliments naturels, non modifiés ;
- diversifier son alimentation, afin de ne pas dépasser les capacités de notre système enzymatique ; ceci est particulièrement vrai pour les aliments à base de blés, qui représentent désormais l'essentiel de l'alimentation occidentale : pains, pizzas, viennoiseries... ;
- restreindre, dans la mesure du possible, le recours aux nombreux médicaments et substances qui agressent l'intestin et sa flore : essentiellement les anti-inflammatoires et les antibiotiques, ainsi que l'alcool ;
- conjointement, une bonne gestion du stress (par des méthodes de respiration et de relaxation, en particulier) contribuera à diminuer la fragilité intestinale.

Le traitement curatif

Lorsque le diagnostic d'intolérance alimentaire est posé (ce qui est encore trop peu fréquent), le « traitement » proposé se résume souvent à une exclusion complète et définitive des aliments incriminés : produits laitiers et/ou gluten. Ce régime améliore souvent les symptômes, mais de façon transitoire car il ne corrige pas les causes des intolérances ; d'autre part, il est très « désocialisant » dans notre pays.

Pour être durablement efficace, le traitement d'une intolérance alimentaire nécessite rigueur et persévérance. Quatre actions conjointes sont nécessaires :

- éviter les aliments les plus fréquemment en cause ;
- restaurer la flore intestinale :
- restaurer la barrière intestinale ;
- soigner son hygiène de vie, pour agir sur les causes du mal.

Éviter (temporairement) les aliments les plus fréquemment en cause

Les produits laitiers et les aliments à base de blé sont à exclure durant trois à quatre semaines, puis pourront être réintroduits progressivement.

- Le lait et ses dérivés (fromages, yaourts, crèmes, beurre…) pourront être remplacés par du lait de soja, de riz, d'amande, de coco, de la crème et des yaourts de soja, etc.
- Les produits à base de blé tendre sont également à proscrire, en particulier le pain et les pâtisseries. Évitez aussi le grand épeautre et le boulghour. Utilisez à la place le riz, le sarrasin, le quinoa, le sésame, la fécule de pomme de terre, le millet, la farine de châtaigne, de noix, de noisette… Par contre, le blé dur en petite quantité (pâtes, semoule de blé) est souvent toléré.

Durant cette période, il est préférable de préparer soi-même ses repas, sinon il est nécessaire de lire en détail la composition de ce que l'on achète : les protéines de lait, de blés, d'œufs sont très répandues dans les aliments industriels.

En plus de ces aliments, il est préférable d'éviter aussi les œufs, les poireaux, les fraises, les prunes et la vanille (donc la plupart des chocolats !). Cette liste n'est en réalité qu'indicative, elle pourra être affinée en fonction des résultats des analyses de sang ou de cheveux.

Au départ, la radicalité de l'exclusion est importante. Selon Jean Seignalet, une entorse de 10 % au régime entraînerait une perte d'efficacité de 50 % ! Cependant, contrairement aux allergies alimentaires vraies, une consommation très occasionnelle n'aura pas de conséquence grave pour la santé.

Heureusement, après quelques semaines d'exclusion associée aux conseils ci-dessous, il est habituellement possible de consommer à nouveau de tout, mais en petites quantités, et en évitant le plus possible les aliments industriels, sous peine de voir réapparaître les ennuis... En cas de réintroduction trop précoce, les symptômes qui avaient disparu se réactivent brutalement.

L'exclusion des aliments culturellement aussi répandus que le lait et le blé est vécue de façon très variable en fonction des individus, et de leur rapport à la nourriture. Certains y parviennent facilement, alors que d'autres me disent : « Même si on me trouve une intolérance, il n'est pas question que j'arrête tel ou tel aliment... ». Jean Seignalet observait cette réticence, avec une adhésion de seulement la moitié de ses patients, même en cas de maladie grave, voire mortelle ! Il est vrai qu'en Occident, l'alimentation est synonyme de plaisir, alors que dans les pays asiatiques, elle doit culturellement rimer avec santé, et qu'en Afrique, elle se résume souvent à une nécessité...

Mais, en cas d'intolérance alimentaire, l'enjeu n'est pas seulement de supprimer les « petits » désagréments listés dans le questionnaire. Il est surtout de prévenir les maladies qui en découlent, potentiellement beaucoup plus graves (cancers, Alzheimer, etc. : se reporter au questionnaire sur les antécédents) ! Ainsi, il n'est pas exceptionnel de voir en consultation des patients qui ont déjà développé la moitié des maladies de cette liste : lorsque le processus pathogène est enclenché, si rien n'est fait, les maladies s'enchaînent inexorablement !

Par ailleurs, le régime hypotoxique (sans blé ni lait) semble souvent inaccessible au départ (« Comment ? Abandonner le pain, le fromage !?! »), mais l'habitude se prend finalement très vite, et l'attirance pour les aliments qui représentaient jusque-là le quotidien diminue rapidement, pour se changer parfois en répulsion (l'instinct reprenant le dessus) ! Et ce changement de régime est de courte durée, de plus, il est l'occasion de découvrir de nouvelles saveurs. Et le plaisir est décuplé lorsque l'on reprend de temps en temps des aliments « interdits » !

Il est de plus en plus facile de trouver désormais des produits sans lait, sans œufs ou sans gluten, ce qui peut faciliter la mise en route du régime d'exclusion ; mais souvent, avec le temps, les personnes intolérantes préfèrent modifier leurs habitudes : elles suppriment les aliments en cause, sans chercher à les substituer par des produits moins goûteux.

Aux personnes les plus réfractaires, **je rappelle volontiers que plus de la moitié de la population mondiale ne consomme ni lait, ni blé !** (Cette proportion est malheureusement en train de s'inverser...).

Restaurer la flore intestinale

- Les 10 premiers jours du protocole, absorbez 2 cuillers à café par jour de **charbon actif** (ou charbon végétal) avec un grand verre d'eau tiède (ou une compote de fruit) : une cuiller le matin à jeun, 30 mn avant le petit déjeuner, la seconde vers 11 h ou 17 h.
- Les jours suivants, prenez des **probiotiques** : il en existe une grande variété, en fonction des souches de bactéries (famille des lactobacilles, des bifidobacteries, etc.) et de leur nombre. Il n'y a pas un produit idéal, chacun doit trouver par tâtonnement le probiotique le mieux adapté à son tube digestif, à un moment donné. Je le répète, la flore intestinale est un milieu vivant, changeant, il faut être « à l'écoute de ses intestins » !
- Ces « bonnes bactéries » vont être à l'origine de la production de N-butyrate, l'un des deux nutriments indispensables à la cellule intestinale, l'autre étant la L-glutamine. Il s'agit d'un acide aminé assez répandu dans de nombreux aliments, mais, en cas d'intolérance, il est préférable d'en apporter 0,5 gramme par jour, sous forme de poudre ou gélule. Il est facile de s'en procurer, car cette substance est largement utilisée par les sportifs pour nourrir leurs muscles...

- **Les prébiotiques** : pour pouvoir s'implanter et jouer leur rôle, les probiotiques doivent impérativement être associés à des prébiotiques : ce sont des sucres particuliers (comme l'inuline) qui sont consommés par les bactéries de la flore intestinale normale ; ils se trouvent en priorité dans les végétaux, ce qui suffit à justifier le slogan : « Mangez cinq fruits et légumes par jour » ! Ces sucres particuliers n'ont rien à voir avec le sucre de cuisine (saccharose), qui n'a aucune vertu prébiotique, bien au contraire ! Assez souvent, les personnes présentant des intolérances ont des symptômes digestifs que l'on peut englober sous le terme de « côlon irritable ». Dès lors, les fruits et légumes sont mal tolérés et sont plutôt déconseillés. Dans cette situation, il faut réintroduire progressivement ces aliments, en commençant par ceux qui sont les mieux tolérés.

Restaurer la barrière intestinale

- Un apport suffisant en **acides gras oméga 3** est indispensable à la cicatrisation de la muqueuse intestinale. La meilleure source est représentée par les **noix** (de toutes variétés), les **noisettes** et les **amandes** au naturel, qui apportent en outre des anti-oxydants, du calcium, etc. : il faut en consommer **une quinzaine par jour**. Évitez par contre les fruits secs salés et/ou fumés, ainsi que les arachides : cacahuètes... Parmi les huiles, privilégiez celles de colza, de noix et de lin, et chauffez-les le moins possible ! Consommez régulièrement des petits poissons gras (sardines, maquereaux...).
- Il est nécessaire de lutter contre l'acidité intestinale (source de candidoses), en consommant beaucoup de légumes cuits, des salades, des plantes et épices douces (cumin, anis, fenouil...), en évitant de manger trop sucré **et en mâchant consciencieusement** : la salive possède un pH basique, et elle prépare la digestion.
- Certaines tisanes sont particulièrement efficaces :
  - Acore odorant : il s'agit d'une racine vendue broyée ; faites-en macérer une cuiller à café toute la nuit dans un grand bol d'eau froide ; le matin, filtrez, faites tiédir et buvez 2 petites gorgées avant et après chaque repas, soit 6 fois par jour.

– Infusions d'achillée/ortie/souci/camomille allemande (matricaire) : faites infuser ½ cuiller à café d'achillée (millefeuille), ½ cuiller à café d'ortie, 1 cuiller à café de souci (calendula) et ½ cuiller à café de camomille (matricaire) dans un bol d'eau chaude pendant 2 à 3 minutes (selon la tolérance : les premiers jours, infusez moins longtemps). Buvez tiède, une tasse vers 10 h et une vers 16 h.

- En complément, absorbez une ampoule de manganèse « oligo » au réveil, et une ampoule de soufre « oligo » au coucher.

Soigner son hygiène de vie

- Faire 10 respirations lentes avant chaque repas, et 5 après, en comptant lentement jusqu'à 5 en inspirant, et jusqu'à 10 en expirant. Ces exercices sont le moyen le plus simple et le plus efficace d'abaisser le niveau de stress.

- Il est primordial de mastiquer longuement ses aliments, en se rappelant que « plus on mastique, plus on guérit » !

- Marcher 15 minutes deux fois par jour au minimum (assez rapidement).

Les résultats du traitement

Durant les premiers jours du protocole, certaines manifestations en rapport avec la détoxication de l'organisme sont fréquentes, en particulier au niveau de la peau et des muqueuses : acné ou démangeaisons, par exemple. Les patients doivent en être informés.

Mais très rapidement, l'amélioration des symptômes d'intolérance survient ; elle est souvent spectaculaire, parfois dès les premiers jours : disparition des ballonnements et des douleurs abdominales, puis retour de l'énergie, du sommeil, etc. Ces résultats sont très gratifiants pour les médecins, lorsqu'ils voient disparaître en quelques jours ou quelques semaines des symptômes qui persécutaient leurs patients depuis des années, voire des dizaines d'années : migraines, psoriasis, aphtes, douleurs articulaires ou musculaires, etc.

Cependant, d'autres manifestations seront plus lentes à régresser :

diminution des auto-anticorps, par exemple. La durée de la détoxication dépend de facteurs génétiques et de l'importance de l'intoxication initiale, qui peut être estimée d'après le score obtenu au questionnaire MSQ. Jean Seignalet faisait état d'améliorations très tardives grâce à son régime : parfois après plusieurs années !

C'est à ce stade où la preuve de la porosité intestinale est confirmée par l'efficacité du protocole que le médecin doit se préoccuper d'en rechercher et traiter les causes : stress mal géré, et intoxication aux métaux lourds, en particulier.

Certaines personnes conserveront néanmoins une fragilité intestinale toute leur vie, ce qui les obligera à reprendre régulièrement des probiotiques, des tisanes, du charbon, en fonction des symptômes qu'ils apprendront à reconnaître et à combattre.

En cas de flore très déséquilibrée, résistante aux traitements ci-dessus, des lavements coliques peuvent être utiles. Les patients victimes de colites remarquent très souvent une amélioration importante, mais fugace, de leurs problèmes digestifs après la préparation réalisée pour une coloscopie, par exemple (cependant, cette « purge » ne doit pas être effectuée régulièrement, car elle est irritante). Rappelons que les lavements font partie de la méthode Kousmine, qui préconisait, dans certaines situations, « 1 à 3 lavements par semaine, réalisés le soir avec 2 litres d'eau tiède (avec de la camomille), suivis d'une instillation de 50 ml d'huile vierge, et poursuivis pendant 2 à 4 mois ». Dans les cas les plus rebelles, une technique appelée hydrothérapie consiste à réaliser un lavage complet de tout le cadre colique, grâce à un appareillage spécifique complété par des massages abdominaux. Cet acte, rarement nécessaire, est à réaliser sous contrôle médical, bien entendu.

Quelques cercles vicieux…

Si le diagnostic d'intolérance n'est pas fait (ce qui est la situation la plus fréquente à l'heure actuelle), les traitements classiquement proposés face à différents symptômes peuvent avoir un effet aggravant :

- En cas d'ostéoporose, il est systématique recommandé de consommer beaucoup de produits laitiers : « pour le calcium ». Mais cette maladie est souvent favorisée par des intolérances ; il est dès lors facile de deviner la conséquence du conseil ci-dessus si la personne est intolérante au lait !

- En cas de troubles articulaires (arthrose ou rhumatismes inflammatoires), des anti-inflammatoires sont le plus souvent prescrits, et ils sont presque toujours associés à des anti-acides gastriques. Or, nous avons vu que ces deux traitements créent ou entretiennent l'hyper-perméabilité intestinale et les intolérances, qui favorisent notamment les problèmes articulaires.

- De même, face à des douleurs gastriques ou un reflux gastro-œsophagien, les anti-acides sont également la base du traitement… mais s'ils soulagent les symptômes, ils peuvent en aggraver la cause !

- Devant des sinusites, des infections ORL à répétition, ce sont les antibiotiques (souvent associés aux anti-inflammatoires) qui sont régulièrement prescrits, avec, là encore, le risque d'aggraver les intolérances en cause. Les traitements par antibiotiques sont parfois indispensables, et il faut alors y avoir recours. Mais leur utilisation est aujourd'hui très excessive dans notre pays. Ainsi, il est utile de savoir qu'un Français hospitalisé dans certains pays scandinaves est placé d'office en « quarantaine », jusqu'à réception des prélèvements bactériologiques. Il est en effet suspecté, jusqu'à preuve du contraire, d'être porteur de souches résistantes !

Dans les différentes situations ci-dessus, nous pouvons constater que les médications classiques traitent ou soulagent les **conséquences** des maladies (les symptômes) : **anti**-inflammatoires, **anti**-acides, **anti**biotiques, **anti**-hypertenseurs, **anti**-cancéreux, **anti**-dépresseurs, etc. Mais elles ne s'attaquent pas à leurs **causes**, qu'elles aggravent même souvent. Il peut être ponctuellement utile de les utiliser, mais il faut parallèlement rechercher et traiter ces causes, sous peine de voir réapparaître les problèmes à l'arrêt du traitement, comme le suggère le schéma ci-contre (Figure 13).

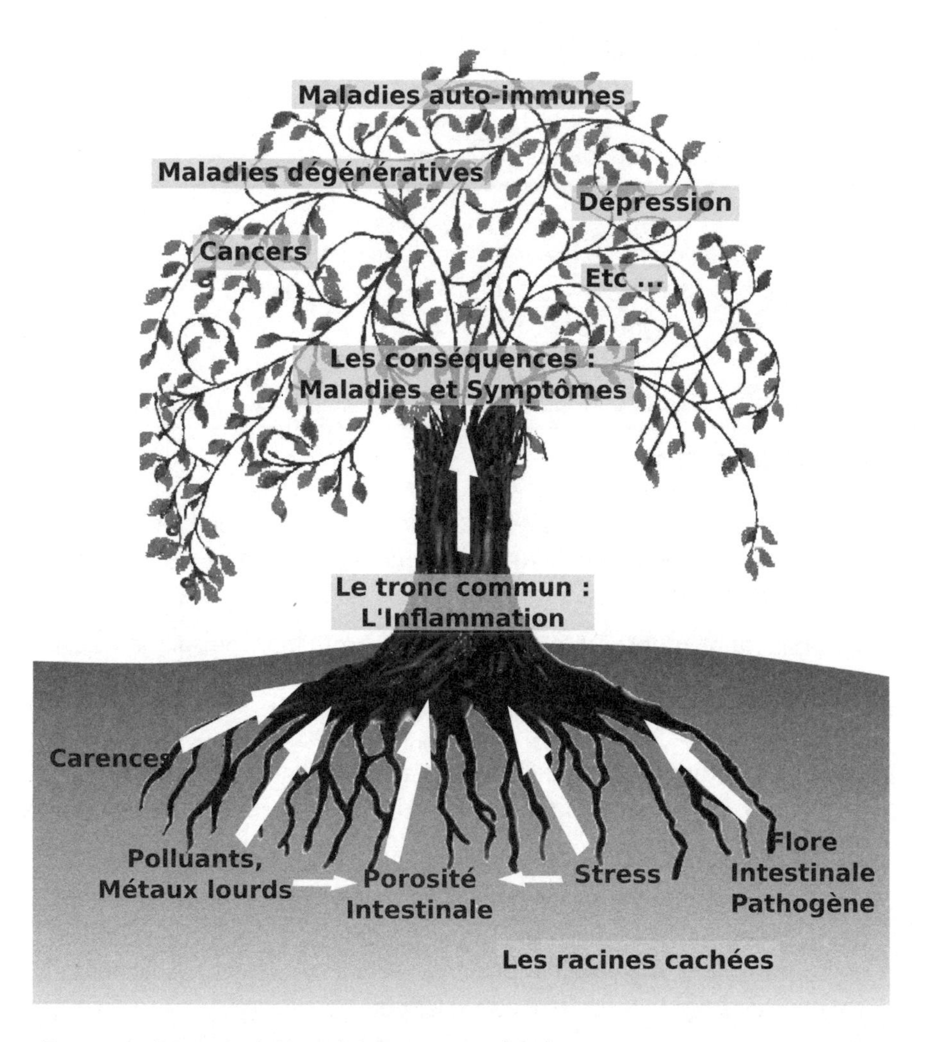

Figure 13 - Les symptômes et leurs causes cachées

Ce schéma permet d'insister sur les racines « profondes » des maladies : au-delà de l'inflammation et de ses causes intestinales, il est essentiel de rechercher ses racines cachées : en particulier les polluants (métaux lourds) et le stress.

Le stress fait partie de nos vies, il est même utile (des animaux soumis à un certain niveau de stress vivent plus vieux que ceux qui en sont préservés), mais son excès est évidemment néfaste. Or, contrairement à une idée trop répandue, il existe des moyens simples de s'en protéger : les techniques de sophrologie, yoga, relaxation, déclinées à l'infini (tai-chi, chi-qong, etc.) ont fait leurs preuves, pour certaines depuis des millénaires : le stress n'est pas une « invention » récente ! Certaines de ces techniques sont depuis peu associées aux protocoles anti-cancéreux classiques, avec des résultats avérés.

Je conseille également aux lecteurs soucieux de se préserver du stress et des « émotions négatives » les outils n° 1 et n° 5 du livre de Yann Rougier : *Se programmer pour guérir*.

Ce qu'il faut retenir :

Jean Seignalet a révélé l'existence des intolérances alimentaires, et de leur rôle fondamental dans le développement et l'évolution de la plupart des maladies chroniques.

Il a également montré que l'arrêt de consommation des aliments en cause permet d'obtenir une stabilisation, une amélioration ou même une guérison de ces maladies liées aux intolérances.

Depuis, des progrès ont été faits dans la compréhension et le traitement de ce processus pathologique, mais de nombreux aspects restent encore méconnus.

L'exclusion temporaire des aliments en cause, couplée à la restauration d'une flore équilibrée et d'une muqueuse digestive « étanche », donne de bons résultats, mais il est important de chercher les causes cachées à ces états de fragilité intestinale, et de les corriger.

Pour en savoir plus :

Petite histoire de l'alimentation humaine

Il est intéressant de rappeler ce qu'a été l'alimentation humaine à travers les siècles, car les causes d'« intoxication » actuelles sont toutes liées aux nombreuses modifications que l'Homme a fait subir à sa nourriture depuis la préhistoire.

Nous verrons ainsi comment sont apparus les trois grands fléaux actuels de notre alimentation : les intolérances alimentaires, le déséquilibre macro-nutritionnel, et les carences micro-nutritionnelles.

Selon les lois de l'évolution énoncées par Darwin, les espèces vivantes doivent s'adapter à leur environnement, sinon elles sont condamnées à disparaître ! En particulier, elles doivent y trouver leur nourriture.

Cette adaptation aux aliments offerts par la nature dépend essentiellement des enzymes digestives : il s'agit de substances qui permettent de dissoudre chimiquement les éléments nutritifs pour les transformer en nutriments, utilisables par l'organisme.

Ce patrimoine enzymatique varie considérablement selon les espèces vivantes : ainsi, les insectes xylophages sont capables de digérer la cellulose du bois, par exemple.

Durant le paléolithique, ou âge de la pierre taillée, les hommes sont des chasseurs-cueilleurs : ils prélèvent leur alimentation directement dans la nature. Leur régime est omnivore, comme celui de leurs ancêtres, les grands singes : baies, racines, gibier, etc.

Leur patrimoine enzymatique s'est donc adapté, pendant des centaines de milliers d'années, à leur environnement direct. Il existe ainsi des différences de régime alimentaire selon le lieu de vie de chaque groupe de population.

Si l'adaptation à l'environnement permet aux espèces vivantes de s'alimenter avec ce que leur offre la nature, le principal risque qui les menace est un changement de l'écosystème dans lequel ils vivent, pouvant être à l'origine de disettes, voire de famines.

L'homme n'a pas échappé à ce risque : les périodes d'abondance ont alterné avec des temps plus durs, conduisant à des migrations de populations pour chercher la nourriture là où elle se trouvait.

L'une des principales préoccupations de l'Homme va donc être de chercher à s'affranchir de cette dépendance alimentaire, et pour cela, il va développer deux stratégies, aboutissant à la première révolution alimentaire.

Ces deux stratégies sont :

- *le développement de l'agriculture,*
- *et la pratique de l'élevage,*

qui vont conduire à l'Homme de se sédentariser, il y a environ dix milliers d'années.

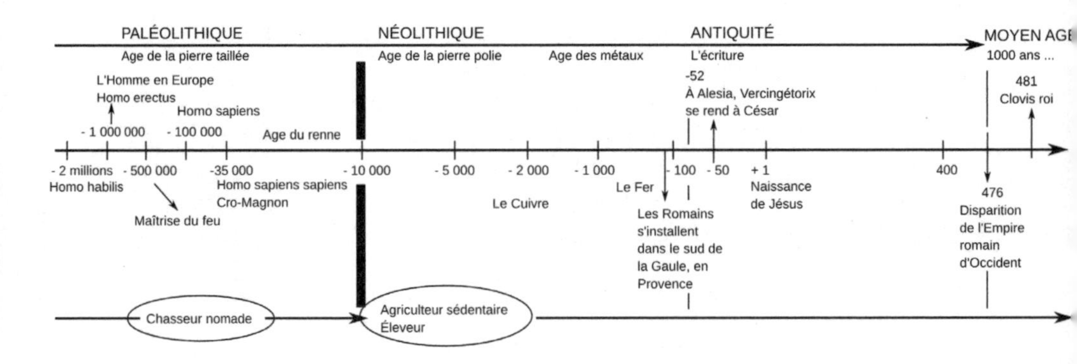

Figure 14 - Les grands bouleversements de l'alimentation humaine

Le développement de l'agriculture… et des premiers OGM !

Afin de diminuer sa dépendance alimentaire, l'Homme va tenter de maîtriser les conditions de croissance des plantes : une graine a besoin, pour pousser, d'un sol adéquat, de soleil et d'eau. Ainsi apparaît l'agriculture, qui va être le premier facteur de sédentarité.

Les plantes les plus intéressantes sur le plan du rendement agricole et nutritionnel sont les céréales.

La maîtrise de leur culture a permis l'essor des grandes civilisations, en fournissant une alimentation régulière et abondante aux populations. Les civilisations du Moyen-Orient puis de l'Europe se sont construites autour du blé, celles d'Extrême-Orient grâce au riz, celles des peuples amérindiens avec le maïs et celles d'Afrique noire autour du mil.

Mais, sans le savoir, l'homme de Néanderthal va ainsi être à l'origine des premiers « OGM » (organismes génétiquement modifiés) !

Les données suivantes sont tirées du remarquable ouvrage de Jean Seignalet : L'alimentation ou la troisième médecine, *dont je reparlerai longuement.*

Les blés que l'on connaît actuellement sont issus du croisement de trois variétés principales de blé originel, qui comportent chacune 7 paires de chromosomes :

- *le petit épeautre ;*
- *l'« herbe folle » ;*
- Aegylops squarrosa.

Par hybridation et sélections, il est possible d'obtenir quelques variétés viables de blés à 14 paires de chromosomes : ce sont les « blés durs », qui servent aujourd'hui à la fabrication des pâtes alimentaires, de la semoule, etc.

Il est même possible d'aboutir, en croisant ces blés durs, à des variétés qui possèdent 21 paires de chromosomes ! Il s'agit du blé tendre, ou froment, qui est à l'origine de la farine commune, utilisée très largement en boulangerie et pâtisserie.

Ainsi, les blés que nous consommons aujourd'hui sont-ils des mutants, créés par l'Homme à partir des blés originels auxquels notre patrimoine enzymatique s'était adapté durant des dizaines de milliers d'années. Et l'hypothèse que ces blés génétiquement modifiés sont mal assimilables par nos organismes n'est pas illogique...

Les céréales autres que le blé ont également fait l'objet de multiples croisements génétiques : il existe quatre variétés de maïs anciens, originaires d'Amérique du sud, dont le maïs moderne diffère complètement.

L'orge, le seigle, le mil... ont été transformés.

Le riz est par contre une céréale à part. Elle possède 12 paires de chromosomes ; il est possible d'effectuer des croisements et des sélections, donnant naissance à d'autres variétés ; mais ce qui est remarquable, c'est que le riz revient toujours à son état originel ! Le riz actuel reste donc le même que le riz « primitif ». Mais jusqu'à quand ? Si les semences sont régulièrement renouvelées, il est possible de produire du riz modifié, comme le riz doré, dont la justification officielle est d'être plus riche en vitamine A (en réalité, cet avantage est discutable car il existe une variété de riz naturellement riche en vitamine A : le riz rouge).

Sur le plan quantitatif, les céréales représentent aujourd'hui plus des deux tiers de la ration calorique des humains, et la moitié des protéines consommées par l'Homme, ce qui est considérable !

Cette part est même encore plus importante dans les pays défavorisés et les classes sociales à faible revenu, en raison du coût assez faible des céréales et de leurs produits dérivés : riz, pain, pâtes, etc.

Nous étudierons plus loin les conséquences, pour la santé de l'Homme, de la création inconsciente de ces « OGM », à l'origine d'aliments parfois mal assimilables. Il y a dix mille ans, cet enjeu sur la santé à long terme était inconnu, mais aujourd'hui, nous ne pouvons plus en ignorer les risques ! En effet, les OGM modernes pourraient représenter une réponse à l'augmentation de la demande alimentaire mondiale, mais les modifications du patrimoine génétique auront les mêmes conséquences, qu'elles soient issues de croisements d'espèces ou de manipulations en laboratoire. En effet, l'ADN (qui compose les gènes) détermine le codage des protéines ; dans les OGM, certaines protéines sont donc modifiées. C'est du reste le but recherché : rendre ces organismes mutants plus résistants aux parasites, à la sécheresse, etc. ; mais cela augmente les risques d'intolérances vis-à-vis de ces aliments…

L'élevage et ses conséquences : laits et laitages

De même que l'Homme a cherché à s'affranchir des aléas de la cueillette en contrôlant la culture des plantes, il a cherché, dans sa quête de protéines, à s'affranchir des aléas de la chasse. Et la sédentarisation, obtenue grâce à l'agriculture, a favorisé naturellement le développement de l'élevage.

L'animal domestiqué a progressivement été utilisé pour se déplacer, seconder l'Homme pour les travaux de force ; mais il a aussi fourni une source de viande relativement stable dans le temps, et, simultanément, il a servi de source quotidienne de protéines grâce au lait.

Or, pour tous les animaux, la consommation du lait de la mère est strictement limitée à la phase de croissance du petit de chaque espèce. Mais l'Homme a doublement enfreint cette règle : d'une part en consommant du lait d'une autre espèce pendant sa croissance, d'autre part en prenant l'habitude de continuer à en consommer tout au long de sa vie.

Certains reflux du nouveau-né nourri au lait de vache ne seraient-ils pas le premier symptôme d'une intolérance à ce lait étranger, la seule façon, pour un nourrisson, de nous dire que cet aliment ne lui convient pas ? Certains médecins le pensent, il faut donc chercher à en obtenir les preuves.

La cuisson des aliments : des conséquences inattendues !

Le feu a été domestiqué il y a environ 400 000 ans, mais il n'a été utilisé pour la cuisson des aliments que lorsque l'Homme est devenu sédentaire, il y a 10 000 ans environ.

La cuisson est responsable de transformations profondes des aliments : en les ramollissant, elle les rend plus faciles à mastiquer et à digérer. Elle est aussi à l'origine de molécules odorantes, qui les rendent plus appétissants (les molécules de Maillard).

Mais certaines de ces molécules sont peu ou pas assimilables. Trop poussée, la cuisson aboutit à la création de goudrons, de « suie », comme celle qui recouvre les parois de nos barbecues, et qui résiste à tous les produits chimiques, y compris l'acide chlorhydrique de notre estomac ! Il est aisé de concevoir que ces molécules ne seront pas assimilées lors de la digestion, et que leur absorption au niveau de l'intestin peut être à l'origine de dépôts dans notre organisme.

Mais que fait Darwin ???

Nous avons vu que les espèces sont condamnées à s'adapter pour survivre.

Pourquoi les humains n'auraient-ils pas adapté leur patrimoine enzymatique à leurs nouveaux aliments : céréales modifiées, lait de vache, etc. ?

L'explication est simple : l'adaptation d'une espèce à son environnement est très rapide en cas de risque vital pour l'individu. Un bel exemple est fourni par une espèce de papillons de couleur blanche : la couleur de leurs ailes a changé en même temps que le mur sur lequel ils se posaient noircissait sous l'effet de la pollution… Au fil des générations (soit quelques semaines, pour des papillons), les individus de couleur grise échappant mieux à leurs prédateurs, ils pouvaient se multiplier et transmettre cette couleur protectrice.

Par contre, l'évolution est très lente en cas de maladie qui ne compromet pas la reproduction, ce qui est le cas de la plupart des pathologies liées à une mauvaise alimentation : problèmes cardio-vasculaires, cancers, etc. À l'âge où le sujet tombe malade, il a déjà transmis son patrimoine génétique à sa descendance.

Rappelons également qu'il existe d'autres mécanismes que l'inadaptation enzymatique pour expliquer les états d'intolérances.

Les travaux de Jean Seignalet

À partir de certains constats, et conformément aux principes de la science expérimentale énoncés par Claude Bernard dès 1865, Jean Seignalet a formulé des hypothèses, qu'il a essayé par la suite de vérifier.

Les constats

L'intestin est la principale frontière entre l'environnement et notre milieu intérieur.

La surface totale de contact de la muqueuse intestinale est de l'ordre de 600 m^2, contre 70 m^2 pour la muqueuse respiratoire, et moins de 2 m^2 pour la peau.

En effet, la surface intérieure du « tube » intestinal est tapissée d'une muqueuse qui forme une multitude de replis millimétriques, les villosités, ce qui multiplie déjà la surface par 20 environ. Et ces replis sont eux-mêmes tapissés de cellules intestinales (les entérocytes), qui sont à l'origine des échanges entre le contenu de l'intestin et le sang. Or, ces cellules possèdent (au niveau de leur pôle intestinal) des replis microscopiques, les micro-villosités, qui aboutissent à une surface d'échange totale de 600 m^2 environ, soit l'équivalent d'un terrain de handball !

Le contenu intestinal est extrêmement riche

Il renferme des centaines de milliers de molécules différentes (alimentaires et bactériennes), contre quelques dizaines pour l'air inspiré.

Les aliments : si l'on considère les centaines de variétés d'aliments que l'Homme peut consommer, et les centaines de molécules différentes qui les composent (surtout en cas de cuisson), ce sont en effet des milliers de molécules qui transitent dans l'intestin.

Les micro-organismes : il existe des milliers de souches bactériennes différentes, présentes à l'état normal dans nos intestins, sans parler des levures, virus, etc.

La paroi intestinale est donc, de très loin, la principale frontière que notre organisme doit défendre face au milieu extérieur !

Les hypothèses de Jean Seignalet

Les intolérances alimentaires

Nous avons vu comment l'Homme, au cours de son évolution, a profondément modifié sa nourriture. Jean Seignalet propose l'hypothèse suivante : les céréales actuelles, le lait et ses dérivés, ainsi que la cuisson des aliments seraient à l'origine de substances peu compatibles avec le capital enzymatique ancestral de l'espèce humaine.

Il en résulterait une mauvaise assimilation de ces aliments, à l'origine d'une intolérance et d'un « encrassage » de l'organisme, qui favoriserait toutes les pathologies inflammatoires chroniques. Ce terme, certes peu scientifique, a été choisi par Jean Seignalet pour diffuser largement son message, car il illustre bien le processus en cause.

L'hyper-perméabilité intestinale

Pour être néfastes, ces substances mal assimilées doivent pénétrer dans notre organisme.

Dans certaines circonstances, la barrière intestinale peut devenir poreuse.

Cet état, appelé syndrome d'hyper-perméabilité intestinale, ou « leaky gut » en anglais (intestin poreux), apparaît pour la première fois dans la littérature médicale en 1984, dans la prestigieuse revue The Lancet. *Le facteur favorisant alors mis en cause est l'alcool, mais, dès l'année suivante, ce sont les anti-inflammatoires qui sont impliqués.*

Les propositions de Jean Seignalet : le régime « hypotoxique »

Sur la base de ces hypothèses, et des résultats obtenus par certains médecins avant lui, Jean Seignalet a proposé un régime alimentaire comme base de traitement de très nombreuses pathologies chroniques.

Ce régime correspond à celui qui a résulté de l'adaptation de l'Homme à son environnement, depuis son apparition, il y a 1 à 2 millions d'années. Jean Seignalet lui a donné le nom d'alimentation hypotoxique (ou régime ancestral, ou paléolithique).

Les trois règles fondamentales en sont les suivantes :

- *pas de lait (d'origine animale) ;*
- *pas de céréales modifiées ;*
- *peu de cuisson.*

Il s'agit donc d'un régime assez draconien, comme le reconnaît Jean Seignalet : seulement la moitié des patients a qui il l'a proposé (pourtant motivés par des pathologies souvent lourdes) a accepté de le suivre plusieurs mois de suite. La durée recommandée était de deux mois minimum, délai nécessaire pour espérer observer un bénéfice. Par contre, en cas d'amélioration des symptômes, il recommandait de poursuivre ce régime indéfiniment…

Jean Seignalet a tout d'abord proposé son régime pour soulager, puis traiter les patients atteints de polyarthrite rhumatoïde, une maladie assez fréquente qui se caractérise par l'atteinte inflammatoire de plusieurs articulations, associée à l'apparition d'auto-anticorps dans le sang. Il s'agit donc d'une maladie dite « auto-immune », c'est-à-dire avec présence d'anticorps dirigés contre certains tissus du sujet lui même : synoviale, cartilage…

Face aux remarquables résultats obtenus dans cette pathologie, Jean Seignalet a progressivement élargi le champ des maladies susceptibles d'être soulagées par son régime, et il l'a évalué au total sur plus de 100 maladies chroniques, chez 3500 patients environ, avec un suivi médian de 5 ans et demi. Il s'agit donc d'un effectif et d'un recul importants, même si l'on peut formuler certaines réserves sur le plan méthodologique.

Fait remarquable et totalement inattendu au départ, son régime s'est montré efficace sur la majorité de ces pathologies (91 d'entre elles), avec une amélioration ou une disparition des symptômes dans 90 % des cas en moyenne !

Quelles sont ces « 91 maladies » d'origine alimentaire ?

Les plus fréquentes sont reprises en annexe (p. 196, dans « Les résultats du régime hypotoxique »), la liste complète étant disponible sur le site www.seignalet.fr.

Il s'agit, pour simplifier, de :

- la quasi-totalité des maladies dites « auto-immunes » : polyarthrite rhumatoïde, maladie de Basedow, spondylarthrite ankylosante... dont on peut rapprocher également les pathologies allergiques. Pour une raison encore inconnue, quelques-unes de ces maladies auto-immunes résistent à son régime, comme la rectocolite hémorragique (alors que la maladie de Crohn, assez proche, « répond » bien), ou le purpura thrombopénique idiopathique.

- la plupart des maladies dites « dégénératives » : arthrose, ostéoporose, diabète, maladie de Parkinson... ; les cancers peuvent être inclus dans ce groupe.

Un autre fait remarquable est l'efficacité préventive de son régime, sur des maladies telles que les calculs (lithiases) dans la vésicule, les cancers, les infarctus, la maladie d'Alzheimer, etc.

Cette « liste à la Prévert » a malheureusement été à l'origine de critiques : « Comment ? Un simple régime serait capable d'obtenir des résultats spectaculaires sur des maladies aussi différentes et difficiles à traiter ? ». Mais nous avons vu que ce paradoxe n'est qu'apparent, la cause de ces maladies étant commune.

Jean Seignalet distinguait trois mécanismes de toxicité alimentaire : les pathologies d'encrassement, d'élimination et d'auto-immunité. En réalité, cette distinction semble plus théorique que pratique, les mécanismes étant souvent imbriqués.

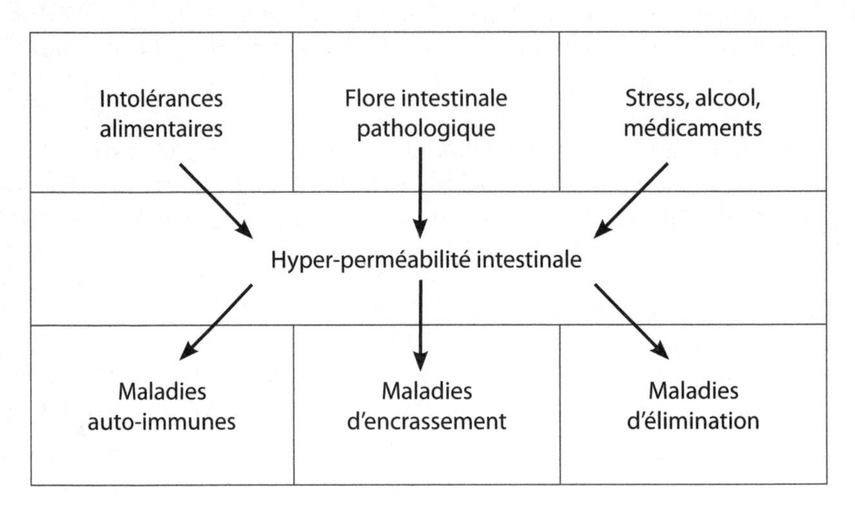

Figure 15 - Causes et conséquences de l'état de porosité intestinale

La relève

Face aux excellents résultats obtenus grâce à ce régime, force est de se demander pourquoi il est resté aussi méconnu.

Plusieurs raisons peuvent être avancées :

- *le côté draconien du régime proposé est à même, nous l'avons vu, de rebuter un patient sur deux...*
- *L'approche proposée par Jean Seignalet est radicalement différente de celle qui est enseignée à la faculté : un régime, là où des traitements modernes et lourds échouent encore souvent ! Ainsi, Jean Seignalet s'est fait tout naturellement un grand nombre d'ennemis dans le monde médical : différents spécialistes acceptèrent mal qu'un médecin d'une autre spécialité – en l'occurrence un fondamentaliste – vienne leur donner des conseils, surtout lorsqu'il proposait d'éviter certains traitements « classiques », comme les anti-inflammatoires. Ces médecins ont participé (et participent encore souvent...) au discrédit de ce régime.*

- *Sans enfreindre le secret médical, il est impossible d'occulter la cause du décès de Jean Seignalet. La rumeur fait état d'un cancer du pancréas, ce qui, bien sûr, n'a pas aidé à la reconnaissance de sa méthode ! Pourtant, même si cette rumeur est fondée, elle ne remet pas en cause, sur un plan statistique, les résultats obtenus par son régime : Jean Seignalet n'a jamais prétendu que son efficacité était de 100 %. De plus, son régime comportait des erreurs : il ne tenait pas compte des autres facteurs de risque, en particulier les méfaits des aliments « pro-inflammatoires ».*

Ainsi, de nombreux médecins ont-ils pris position contre ce « régime miracle », susceptible de soulager autant de maladies si différentes... Mais ils n'ont opposé aucune argumentation scientifique, se contentant d'insister sur la faiblesse méthodologique des travaux de Jean Seignalet. De fait, il s'agit d'une étude rétrospective, non randomisée (c'est-à-dire sans groupe témoin établi par tirage au sort), mais l'honnêteté intellectuelle de l'auteur ne saurait être remise en cause, dans la mesure où il analyse aussi objectivement les succès de son régime que ses différents échecs.

Et est-il plus critiquable, sur le plan scientifique, de rapporter des résultats partiels ou provisoires, ou de rejeter en bloc ces résultats sans chercher à les confirmer ?

Toujours est-il que cette approche nutritionnelle des pathologies n'est toujours pas enseignée dans les facultés de médecine et les enseignements post-universitaires, et qu'elle reste donc presque totalement méconnue du corps médical.

Paradoxalement, ce sont souvent les patients eux-mêmes qui en entendent parler, par un proche, une association ou plus récemment par Internet, et qui interrogent ensuite leur médecin... ils reçoivent alors parfois en retour un sourire amusé, voire ironique...

Pourtant, mon expérience personnelle confirme largement l'efficacité de la prise en charge des intolérances alimentaires sur les nombreuses maladies ou symptômes qui en découlent.

Ainsi, l'une des ambitions de ce livre est-elle d'inciter un maximum de médecins et de patients à s'intéresser à cette approche nutritionnelle. Depuis quelques années, il existe heureusement un diplôme d'université de qualité : Alimentation, santé et micro-nutrition, *organisé par le Dr Olivier Coudron ; je le conseille vivement à tous les médecins, quelles que soient leurs spécialités.*

Le Professeur Henri Joyeux fut certainement l'un des premiers et principaux défenseurs de Jean Seignalet : montpellierain comme lui, il était bien placé pour juger des bienfaits du régime hypotoxique. Il a publié plusieurs livres sur le sujet ; pour ne citer que le plus récent : Changez d'alimentation : L'atout Bio !

Les filles de Jean Seignalet ont également poursuivi la diffusion du message de leur père par l'intermédiaire d'un site Internet, qui contient de nombreux témoignages de patients, et grâce à un livre, Guide pour lire, comprendre et pratiquer : L'alimentation ou la troisième médecine *(Dominique et Anne Seignalet).*

Un autre élève, et soutien fidèle, de Jean Seignalet est le Dr Philippe Fievet, dont je recommande le livre au titre évocateur : L'intestin, carrefour de mon destin.

L'idée d'une « alimentation ancestrale hypotoxique » continue à faire son chemin chez plusieurs médecins et auteurs à travers le monde : le Dr S. Boyd Eaton, contemporain de Jean Seignalet, et, plus récemment, le Pr Bernard Jacotot, le Dr Loren Cordain, le Dr Rueff , Thierry Souccar, Marion Kaplan… Il est probable que, si l'on attend encore un peu, cette approche s'imposera dans d'autres pays avant de revenir en France : comme pour Mme Kousmine, nul n'est prophète en son pays…

Et n'oublions pas que de nombreuses populations ont culturellement un régime alimentaire hypotoxique : nous avons parlé plus haut des Esquimaux : ils sont presque totalement épargnés par le diabète, les maladies thyroïdiennes, l'asthme, la sclérose en plaques et le psoriasis, or ils ne consomment ni lait transformé, ni céréales…

Ce fut également le cas, durant des millénaires, de la majorité des Asiatiques et des Africains, mais cela est malheureusement en train de changer…

Chapitre

3

Aliments poisons et aliments protecteurs

Quelques notions de nutrition

Depuis deux siècles environ, notre alimentation a subi des transformations très profondes :

- l'industrialisation s'est étendue progressivement à tous les domaines de la production (agriculture, élevage) et de la préparation (raffinage, chauffage, extraction, etc.) des aliments ;
- le colonialisme a apporté de nouveaux produits : canne à sucre, pomme de terre…
- l'Homme s'est fortement sédentarisé ;
- son rapport à la nourriture a changé : importance des plaisirs de la table, recherche de gain de temps.

Ces modifications ont eu lieu sur une période courte (quelques générations) et ont abouti à deux grands bouleversements :

- l'augmentation considérable des sucres « rapides » dans notre ration alimentaire ;
- la modification majeure de sa composition en corps gras.

Si nous mangeons, c'est fondamentalement pour apporter à notre organisme l'énergie dont il a besoin pour fonctionner. Cette énergie est exprimée le plus souvent en calories.

Les apports caloriques proviennent de trois groupes d'aliments : les glucides, les lipides et les protides.

- Les glucides correspondent à la famille chimique des sucres, mais la plupart des aliments qui en contiennent n'ont pas un goût sucré. Leur digestion aboutit au glucose, qui est le principal nutriment énergétique de nos cellules.

- Les lipides correspondent aux graisses, et sont composés en majorité d'acides gras. Leur digestion libère ces acides gras, qui ont un rôle énergétique, mais également de constituants cellulaires indispensables à la vie.

- Les protides, ou protéines, sont des assemblages d'acides aminés, qui sont avant tout des substances indispensables à la construction de nos cellules, de tous nos tissus, de tous nos organes.

Sur un plan quantitatif, les nutritionnistes nous enseignent que notre ration calorique devrait être constituée idéalement de 55 % de glucides, 31 % de lipides et 14 % de protéines (ces pourcentages étant relatifs aux calories consommées). C'est la règle académique des « 4 – 2 – 1 ».

Mais nous allons voir que, bien plus que l'aspect quantitatif de ces classes d'aliments, c'est leur **aspect qualitatif** qui **est prépondérant**. En effet, un Asiatique se nourrit majoritairement de riz et de poisson (glucides et protéines), un Esquimau de poissons et de viande de phoque (lipides et protéines). Ces régimes, très différents en terme de familles d'aliments, sont néanmoins tout à fait adaptés à ces populations.

Il faut insister dès maintenant sur le fait que les sucres et les graisses sont indispensables à la vie de nos organismes. Dès lors, **il faut dénoncer fermement la dictature actuelle du « zéro calorie »** ; la mode des aliments allégés en sucres et graisses. Si nous mangeons, je le répète, c'est essentiellement pour apporter à notre organisme les calories dont il a besoin pour fonctionner !

Les aliments allégés ne font que déplacer le problème, car les calories qui ne sont pas apportées par ces « produits » (on ne peut plus parler d'aliments…) devront être trouvées ailleurs.

Voilà bien l'un des grands paradoxes de notre temps : nous sommes prêts aujourd'hui à payer plus chers des produits censés mieux nous nourrir, uniquement parce qu'ils nous apportent moins de calories !!! (Et alors que des millions d'hommes ne mangent pas à leur faim…)

Il est donc fondamental d'insister sur la valeur **qualitative** des aliments :

- il existe des « bons sucres », indispensables, et des « mauvais sucres », toxiques ;
- de même, il existe des « bonnes graisses » et des « mauvaises graisses » ;
- une cuisson excessive est presque toujours à l'origine de « mauvais sucres » et de « mauvaises graisses » ;
- apparaît alors une autre notion fondamentale : le mode de préparation de l'aliment, souvent aussi important que l'aliment lui-même.

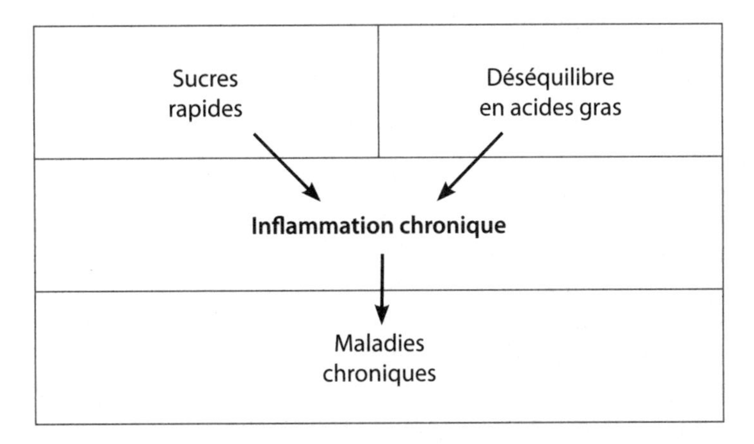

Figure 16 - Les aliments toxiques et leurs conséquences à long terme

Historiquement, Le Dr Catherine Kousmine (1904 – 1992) fut la première (après Hippocrate !!!) à s'intéresser sérieusement au rôle de l'alimentation en pathologie humaine.

Cette femme d'origine russe dut fuir la révolution de 1918 et se réfugia en Suisse, où elle fit ses études médicales. Elle s'intéressa très tôt à l'approche alimentaire pour traiter différentes maladies dégénératives : sclérose en plaques, rhumatismes inflammatoires, cancers, etc., dont elle voyait la fréquence augmenter considérablement. Son constat fut sans appel : **« Notre race dégénère. »**

Il est utile de préciser ici la définition d'une maladie dégénérative : c'est le résultat de la « dégradation totale ou partielle d'un tissu ou d'un organisme. Les cellules se modifient, perdent leurs caractères spécifiques, pour se transformer en une substance inerte. D'autre part, leur activité fonctionnelle n'existe plus. » Cette définition caractérise bien le mécanisme en cause dans les nombreuses maladies dégénératives.

Il est intéressant de préciser que le terme de dégénérescence a également une autre signification en médecine : « passage d'une tumeur du stade bénin au stade malin », qui correspond au processus de cancérisation. Les cancers sont bien des maladies dégénératives.

À ce sujet, l'approche de Mme Kousmine fut particulièrement originale, et tout à fait intéressante : chez la souris, elle montra que les cellules tumorales sont plus résistantes aux agressions (dans ses expériences, l'injection d'une toxine bactérienne) que les cellules saines. Pour elle, le cancer est donc avant tout un organe de détoxication, c'est-à-dire une adaptation de l'organisme face à des agressions extérieures.

Partant de ce constat, elle développa un programme complet de **détoxication** de l'organisme, grâce auquel elle rapporta de nombreux cas de guérisons spectaculaires.

Laissons-lui la parole : « [...] ma méthode repose sur quatre piliers, comme une chaise repose sur quatre pieds : enlevez-en un, et la chaise bascule. L'alimentation saine est un des piliers, la propreté intestinale et la régénération de la muqueuse des intestins en sont le deuxième, le rétablissement de l'équilibre acido-basique, le troisième, un apport large de vitamines et d'oligo-éléments, autrement dit la suppression des carences, le quatrième. »

L'immuno-modulation et la cure de vaccins furent ajoutées par la suite, comme cinquième pilier.

L'alimentation saine selon Mme Kousmine reposait en grande partie sur la crème Budwig, une préparation à base de différents produits frais et de graines de lin, qui fut élaborée par Johanna Budwig (1908 - 2003 : ses travaux ne sont sans doute pas étrangers à sa longévité....). Cette biochimiste allemande fut la première à montrer le rôle protecteur de l'huile de lin (riche en oméga 3) contre les cancers, et à alerter l'opinion sur les risques des graisses transformées, en particulier l'apparition des acides gras hydrogénés dans les huiles industrielles (leur usage est aujourd'hui de plus en plus réglementé, elles sont déjà interdites dans certains pays).

Nous verrons que les vertus des « quatre piliers » ci-dessus sont progressivement redécouvertes et validées de nos jours : Mme Kousmine avait cinquante ans d'avance sur son temps !

Les « bons sucres » et les « mauvais sucres »

Il y a quelques années, est apparue la notion de sucres dits « lents », c'est-à-dire assimilés progressivement, et de sucres « rapides », à consommer avec modération.

Cette notion fut à l'origine d'une prise de conscience intéressante, mais ce message est malheureusement source de confusion, car de nombreux sucres considérés autrefois comme « lents » sont en réalité particulièrement « rapides », comme nous le verrons.

La notion d'index glycémique

Aujourd'hui, nous disposons d'un indicateur très précis de la vitesse d'assimilation des sucres qui composent nos aliments : il s'agit de l'index glycémique (IG).

- La glycémie désigne le taux de glucose (le sucre utilisable par nos cellules) dans le sang : environ 1 gramme par litre.
- L'index glycémique d'un aliment correspond à la rapidité avec laquelle les sucres qu'il contient passeront dans le sang sous forme de glucose.

Cette mesure est exprimée par rapport à l'absorption du glucose pur, qui représente par convention un index de 100. (Les lecteurs désireux d'approfondir ce sujet peuvent se rapporter à la section « *Pour en savoir plus* » à la fin de ce chapitre).

Un aliment est considéré comme source de sucre rapide si son index glycémique est supérieur à 60 environ, et comme sucre lent au-dessous de 40 (entre les deux, il est donc intermédiaire…).

Un tableau complet est fourni en annexe (p. 200). Il est extrait du site de Michel Montignac, père du célèbre régime amaigrissant du même nom, et basé essentiellement sur les index glycémiques.

Afin de fixer les idées, voici déjà les index de quelques aliments :

Aliments	Index glycémique
Bière	110
Sirop de glucose (sert de référence)	100
Pommes de terre frites	90
Pain blanc	80
Riz blanc standard	70
Sucre (blanc ou roux)	60
Riz basmati	50
Haricots blancs, rouges	40
Haricots verts	30
Choux (tous), choucroute	20
Avocat	10

Ce tableau appelle quelques remarques :

- le premier constat qui s'impose est le suivant : la plupart des « sucres rapides » n'ont pas un goût sucré ! Le sucre de cuisine (ou sucre blanc, ou saccharose) possède un index de 65, ce qui est élevé, mais encore raisonnable si on le compare à d'autres produits. En particulier, les aliments sucrés d'origine industrielle (pâtisseries, biscuits) ont un index nettement plus élevé, en raison de l'ajout de sirop de glucose, l'utilisation de farines raffinées, etc. Les pommes de terre, le pain blanc sont souvent considérés comme des sources de « sucres lents » : en réalité, leur index glycémique peut atteindre 90 ! Les sucres rapides ne se résument donc pas aux sucreries...

- Le deuxième constat concerne le rôle de la cuisson : les carottes crues ont un index de 35, contre 80 pour les carottes cuites ! Cela est vrai également pour les pâtes, les fruits, les pommes de terre, etc. Il faut éviter de trop cuire ses aliments !

- Le troisième constat concerne l'alcool : le lecteur pourra découvrir que la bière possède l'index le plus élevé (110, soit plus que le glucose !). Cela est vrai également pour les autres boissons alcoolisées, et suffit à justifier le slogan : « À consommer avec modération » !

Il est désormais bien établi que les sucres rapides sont particulièrement « toxiques » pour nos organismes.

Leur absorption provoque en effet un afflux massif de glucose dans le sang, dont seule une faible partie va être utilisée sur l'instant (pour produire des calories), surtout chez les personnes sédentaires. Le reste sera stocké, essentiellement sous forme de graisses. Ce stockage d'énergie concentrée est une merveilleuse invention de la nature, car il représente un véritable garde-manger portatif ! Il était indispensable à la survie de nos ancêtres dans les périodes de disette, avant qu'ils ne sachent conserver les aliments sur de longues périodes. De même, la survie de nombreux animaux en dépend toujours, par exemple ceux qui hibernent. Par contre, dans nos pays d'abondance, une telle réserve nutritionnelle n'a plus de raison d'être, et, en cas d'apport alimentaire excessif, nous subissons les inconvénients d'un stockage prolongé : une surcharge à la fois mécanique et métabolique de nos organismes, sans oublier les toxines et nombre de polluants, qui ont la désastreuse particularité de se concentrer au niveau des graisses.

Les graisses issues des sucres rapides ont pour particularité d'être stockées de façon prépondérante au niveau de l'abdomen ; la prise de poids qui en résulte s'accompagne d'une augmentation nette du périmètre abdominal : c'est le « tablier », la « bedaine », la « brioche »... C'est également typiquement l'abdomen du buveur de bière (La prise de « ventre » n'étant pas due aux gaz, comme le montre la balance...) ! Ce type d'obésité abdominale est de plus en plus répandu (on le constate sur les plages...). Au Japon, le périmètre abdominal a même été proposé comme marqueur de l'état de santé de la population.

Une autre conséquence de l'absorption de sucres rapides est le retour précoce d'une sensation de faim (dès que le stockage a eu lieu), incitant à des grignotages répétés. Ces grignotages sont néfastes s'ils concernent à nouveau des sucres rapides, qui seront stockés à leur tour. Il existe par contre de bons coupe-faim, comme la plupart des fruits secs associés aux « noix » (noisettes, pistaches, noix...).

Surtout, l'afflux de glucose dans le sang va induire, par différents mécanismes (voir annexes), un état inflammatoire, à l'origine du caractère « toxique » des sucres rapides. En effet, nous avons vu que l'inflammation chronique prédispose fortement à la survenue de toutes les maladies de civilisation évoquées dans ce livre.

À l'inverse, les aliments assimilés lentement peuvent être consommés à volonté, sans induire de prise de poids, car ils libèrent progressivement leurs calories dans l'organisme : il s'agit de la grande majorité des fruits et légumes, en particulier les légumineuses (pois, haricots secs, lentilles, etc.), tous les choux, mais également les fruits secs contenant de « bonnes graisses » : noix, amandes, chocolat peu sucré (à partir de 70 % de cacao).

Essayons maintenant d'estimer l'index glycémique moyen de nos repas quotidiens ; nous y trouvons aux premières places le pain, les frites, les pâtes, le riz, la purée, les pizzas, etc. Tous ces aliments ont des index élevés, supérieurs à 60.

En comparaison, il est intéressant de remarquer que le repas d'un homme du paléolithique (qui se nourrissait uniquement de produits crus) avait un index glycémique de l'ordre de 25. La quantité de sucres « rapides » a donc progressivement augmenté, d'abord du fait de la cuisson des aliments, puis du raffinage des produits de base, pour atteindre actuellement un index glycémique moyen situé entre 60 et 80 ! Faites le calcul pour vos derniers repas… Il faut préciser cependant que c'est l'index moyen sur plusieurs repas qui est important. Et celui-ci dépend des individus : si un index de 50 est correct, il faudra être en dessous pour perdre du poids, alors qu'un sportif pourra sans risque se situer au-dessus.

Le choix des produits qui composent nos repas est donc important, mais leur mode de préparation entre également en jeu. En effet, il est possible de ralentir fortement l'assimilation des sucres rapides à la lumière des règles qui suivent.

ASSIMILATION RAPIDE	ASSIMILATION LENTE
aliment cuit : légumes, pâtes…	aliment cru
aliment liquide ou mixé : soupe, purée…	aliment entier
aliment consommé seul	aliment associé à des lipides ou des protides
aliment chaud	aliment froid
aliment associé à de l'alcool	aliment sans alcool

Figure 17 - L'index glycémique d'un aliment dépend de nombreux facteurs.

Ce tableau apporte une justification à certains conseils diététiques, comme le fait de commencer son repas par des protéines ou un aliment gras. Le bon sens populaire sait qu'il est dangereux de consommer de l'alcool à jeun, et que des aliments solides ralentissent son assimilation. Le principe est le même pour les sucres rapides.

Quelques constats :

- **La production mondiale de sucre blanc a été globalement multipliée par 20 en un siècle ! C'est énorme**, et ce n'est malheureusement pas terminé : les courbes progressent toujours pour le sucre de canne. Il faut être particulièrement vigilant vis-à-vis des apports cachés, par exemple dans les sodas : l'équivalent de six morceaux de sucre par canette !

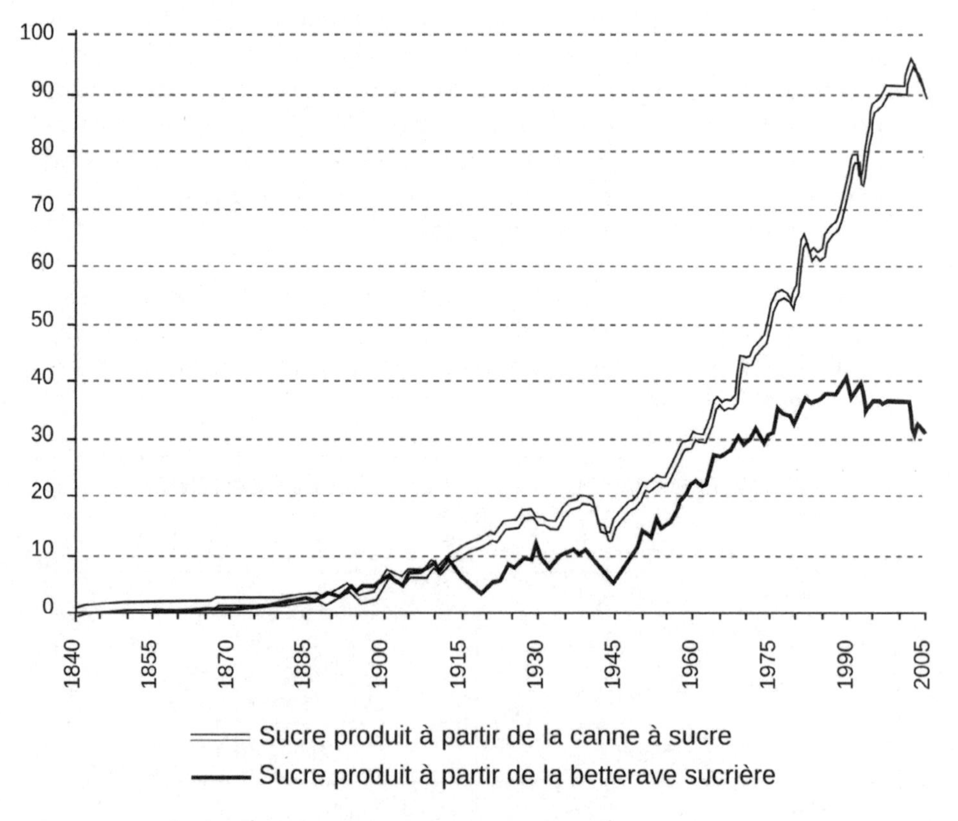

Figure 18 - Évolution de la consommation mondiale de sucre

- La pomme de terre : elle représente, depuis très longtemps, un apport alimentaire considérable, elle a permis d'éviter de nombreuses famines. En France, elle a été introduite par Parmentier en 1771, mais elle était cultivée depuis 10 000 ans dans les Andes, d'où elle est arrivée en Europe, rapportée par les Espagnols, en 1570. Aujourd'hui encore, avec la flambée du prix des matières premières, la pomme de terre redevient un aliment refuge pour de nombreux êtres humains : la demande mondiale augmente régulièrement ; il s'agit du légume favori des enfants, sous forme de frites en particulier.

  Malheureusement, la pomme de terre possède un index glycémique très élevé, sauf lorsqu'elle est cuite à la vapeur. Elle possède pourtant un atout de taille : c'est un aliment « basifiant » (il réduit l'acidité intestinale), il faut donc en consommer avec modération... comme tout !

- Le pain et les pâtes alimentaires sont composés essentiellement de farine de blé ; mais si le blé complet (comme ses dérivés) possède un index glycémique relativement bas, ce n'est pas le cas des farines blanches, les plus répandues. La production mondiale de blé a été multipliée par près de 5 en 50 ans (alors que la population mondiale n'augmentait « que » de 2,5 fois durant la même période).

À ce titre, notre petit déjeuner français, envié dans le monde entier, est assez caricatural sur le plan nutritionnel : nos célèbres croissants, d'index glycémique égal à 75 (plus des graisses saturées !), parfois accompagnés de miel ou de confiture ; un café, souvent sucré...

Nos enfants ne sont pas épargnés : bols de céréales raffinées, sirop de glucose contenu dans la plupart des pâtisseries industrielles, etc.

Vers 10 heures, c'est l'« hypo » ! Vite, du sucre : biscuits, coca...

Voici comment nos habitudes alimentaires actuelles créent, insidieusement, des générations d'obèses et des maladies « de civilisation ». La meilleure prévention consiste bien à absorber des aliments à index glycémiques modérés ou faibles, afin de ralentir l'apparition de la prochaine sensation de faim. Contrairement à une idée fort répandue, ce n'est pas le grignotage qui est responsable de la prise de poids, mais (une fois encore) la qualité des aliments consommés, que ce soit pendant ou entre les repas. Plusieurs publications récentes en apportent la preuve.

Les notions ci-dessus sont à la base des seuls « régimes » amaigrissants logiques et efficaces, mais il est alors préférable de parler d'éducation nutritionnelle que de régime.

Sucres, acidité et flore intestinale

La richesse en sucre de notre alimentation conditionne directement la flore intestinale, c'est-à-dire le type de micro-organismes (« microbes ») contenus dans nos intestins.

À l'état physiologique (état de bonne santé), l'intestin contient essentiellement des bactéries, indispensables à une bonne digestion. Mais certaines situations peuvent perturber ce bel équilibre : c'est le cas d'un contenu intestinal trop acide, qui va favoriser le développement de champignons microscopiques (ou levures), en particulier les *Candida albicans*, qui sont à l'origine de la plupart des mycoses digestives et génitales (candidoses). Rappelons-nous que, sur une confiture, ce sont des moisissures (champignons microscopiques) qui se développent, et non des bactéries. Il en va de même dans l'intestin. L'excès de sucre est la principale cause d'acidité intestinale. Le traitement de ces candidoses est difficile, il passe en particulier par une lutte contre l'acidité (alcalinisation) du contenu intestinal, et donc une réduction des apports en sucre. Mais cela est rendu difficile par le fait que les *Candida* produisent une substance qui induit une forte attirance pour le sucre ! Le recours à des édulcorants peut aider à réaliser ce véritable « sevrage » en sucres…

Pour remplacer le sucre de cuisine, David Servan-Schreiber suggère le sirop d'agave, dont l'index glycémique est très bas (15) et que l'on commence à trouver assez facilement. Il existe également des édulcorants, mais plutôt que l'aspartame, dont les risques sont de plus en plus souvent évoqués, on peut utiliser l'extrait de stévia, une plante d'Amérique du Sud à très fort pouvoir sucrant. Il se trouve désormais facilement, et a l'avantage d'être d'origine naturelle.

À l'inverse, nous avons vu qu'il existe dans les végétaux des sucres particuliers (comme l'inuline) qui sont consommés par les bactéries de la flore intestinale normale et qui sont donc particulièrement utiles.

Ce qu'il faut retenir :

Les « bons sucres » sont les sucres lents.

Les « mauvais sucres » sont les sucres rapides.

Mais le raffinage et la cuisson modifient la vitesse d'assimilation des aliments ; il faut donc se référer aux tableaux des index glycémiques et à la fiche pratique joints en annexe.

Les aliments « industriels », sans minéraux ni fibres, sont particulièrement néfastes pour la santé.

Un surpoids localisé à l'abdomen peut (et doit) être combattu en évitant les sucres rapides : alcool, pain blanc, pommes de terre, etc.

Les « bonnes graisses » et les « mauvaises graisses »

Les graisses (ou lipides) sont également indispensables à une alimentation saine et équilibrée.

Mais, comme pour les sucres, il existe des bonnes et des mauvaises graisses : les Esquimaux, grands consommateurs de graisses animales, ont une mortalité par maladies coronariennes de 3,5 %, alors que ce taux est proche de 50 % dans les pays occidentaux ! Ce paradoxe s'explique par les différences de qualité des graisses que nous consommons : il existe de bonnes graisses, anti-inflammatoires, et de mauvaises graisses, à l'origine d'un état inflammatoire de l'organisme.

Il existe, de façon schématique, trois grandes familles d'acides gras naturels :

- les acides gras saturés, majoritaires dans les viandes (sans oublier les margarines et les graisses tropicales : palme…) ;
- les mono-insaturés (possédant une seule « double liaison » dans leur molécule) : ce sont les oméga 9 ;
- les acides gras poly-insaturés (avec plusieurs « doubles liaisons ») ; il s'agit principalement des oméga 3 et des oméga 6.

(Les chiffres : 3, 6 et 9 indiquent la place du premier carbone porteur d'une double liaison).

Les schémas ci-contre présentent quelques exemples d'acides gras appartenant aux différentes familles. Les traits parallèles schématisent les « doubles liaisons » sur la chaîne d'atomes de carbones.

Plus les acides gras sont saturés, et plus leurs molécules sont « rigides » ; à l'inverse, la présence de « doubles liaisons » (entre deux atomes de carbone) contribue à leur donner une certaine souplesse. Mais ces « doubles liaisons » sont relativement peu stables, elles ont tendance à disparaître sous l'effet du temps, de la lumière et surtout de la chaleur. Ce phénomène explique que les huiles riches en acides gras insaturés doivent être conservées à l'abri de la chaleur et de la lumière.

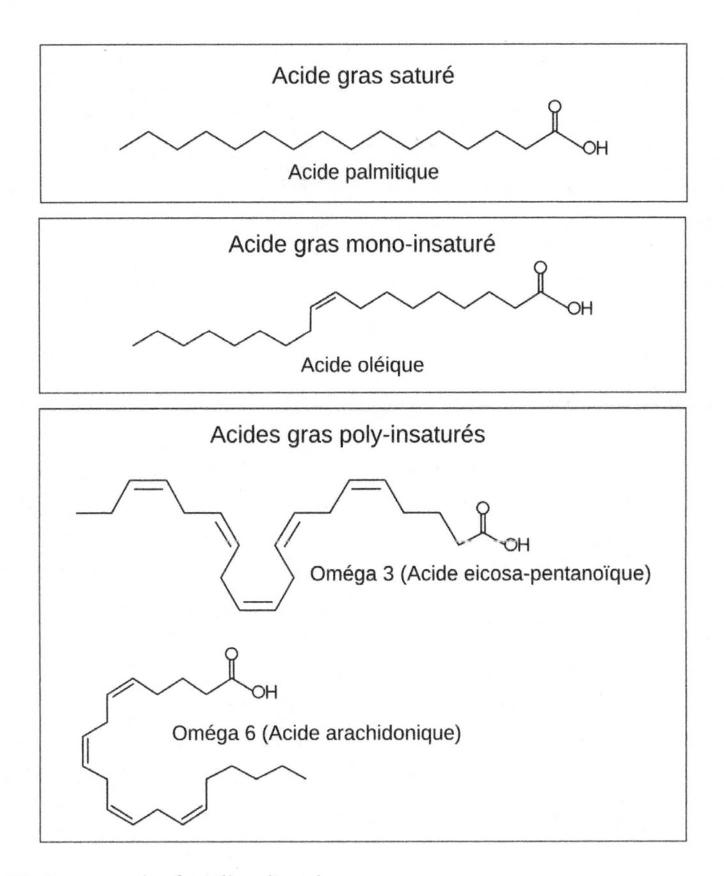

Figure 19 - Les grandes familles d'acides gras

Or les acides gras saturés (« rigides ») favorisent l'inflammation de l'organisme (on les appelle pro-inflammatoires), et prédisposent donc aux maladies chroniques. Ceci est particulièrement vrai pour l'acide palmitique (issu de l'huile de palme), qui entre dans la composition de très nombreux aliments industriels (en raison de son faible coût et de sa bonne conservation dans le temps). Voici bien l'un des principaux « aliments poisons » ! Il est malheureusement désormais incontournable dans les... laits pour bébés !

Par contre, les graisses insaturées sont principalement anti-inflammatoires, donc protectrices. Elles ne peuvent être synthétisées par notre organisme, et doivent donc être apportées par l'alimentation (les acides gras poly-insaturés étaient appelés autrefois vitamine F, en raison de leur caractère indispensable à la vie).

Le caractère plus ou moins inflammatoire des acides gras s'explique par les substances qui dérivent de leur métabolisme, en particulier les prostaglandines. Ces molécules (identifiées initialement au niveau de la prostate, d'où leur nom) possèdent des actions cellulaires très variées, notamment sur la réaction inflammatoire : certaines prostaglandines stimulent l'inflammation, d'autres la combattent.

Passons en revue nos principales sources actuelles d'acides gras.

Les graisses animales

La consommation de viandes a considérablement augmenté dans nos pays : un Indien en consomme en moyenne 5 kg par an, ce qui est largement suffisant pour couvrir les besoins, un Nord Américain près de 25 fois plus ! Dans la plupart des restaurants, le plat principal tourne aujourd'hui autour de la viande, les légumes étant souvent réduits à un rôle de décoration.

Il en résulte un excès d'apport en acides gras saturés, qui favorisent la flore de putréfaction intestinale. Et l'augmentation du risque de cancers en cas d'alimentation fortement carnée est désormais clairement établie. Une notion est fondamentale : les viandes et les produits dérivés d'origine animale (lait, œufs, beurre, etc.) contiennent les acides gras qui ont été apportés par leur propre alimentation : si « Nous sommes ce que nous mangeons » (pour reprendre le titre d'un livre de Jane Goodall sur l'alimentation), cela est également vrai pour les animaux !

Jusqu'à une période assez récente, les animaux d'élevage se nourrissaient d'herbages, et le rapport entre les oméga 6 et les oméga 3 était équilibré (environ 3 pour 1). Mais, depuis un siècle environ, leur alimentation a été complètement modifiée, particulièrement du fait des farines animales (qui avaient été interdites, mais qui sont en train d'être réintroduites !!!). Très logiquement, l'équilibre des acides gras a donc aussi considérablement changé : il est de 15 pour 1 aujourd'hui, parfois plus ! Contrairement aux apparences, nous ne mangeons plus du tout les mêmes œufs que nos grands-parents (ni les mêmes produits d'origine animale : lait, beurre, etc.), à moins de consommer les produits des filières « bio » ou « bleu-blanc-cœur », issus d'animaux nourris correctement.

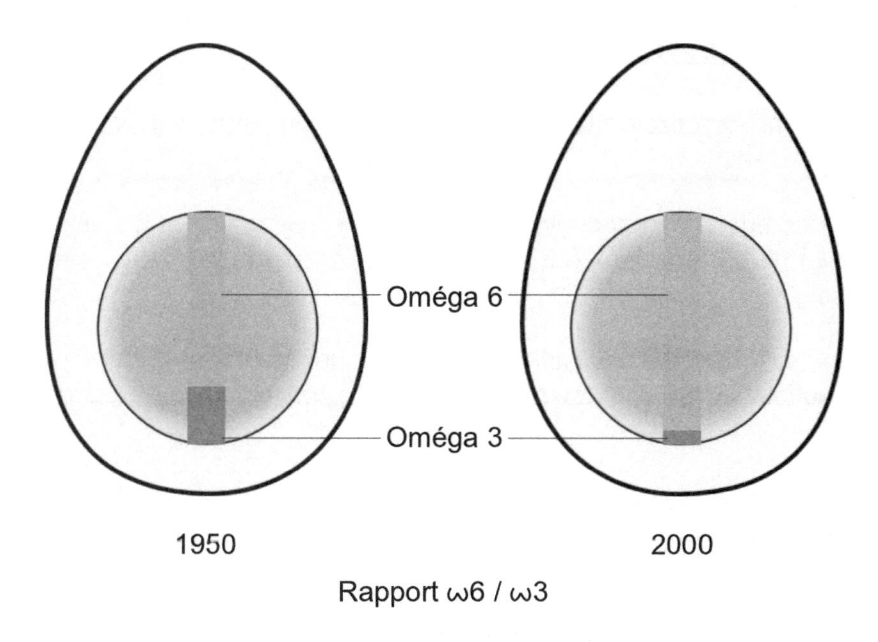

Figure 20 - Une même coquille peut cacher des produits très différents !

Les poissons sont une source plus équilibrée de graisses animales, car ils sont riches en acides gras poly-insaturés. Il faut préférer les petits poissons (sardines, maquereaux,...), qui ne font pas l'objet d'élevages.

De plus, ces petits poissons sont moins pollués par les toxiques (en particulier les métaux lourds) que leurs prédateurs, qui concentrent d'un facteur 10 ces substances à chaque étape de la chaîne alimentaire : le thon contient déjà 1000 µg de mercure par kilo, le requin 1 000 000 de µg/kg !

Certains poissons d'élevage sont équilibrés sur le plan nutritionnel, mais la traçabilité de l'alimentation qu'ils ont reçue est difficile, voire impossible, à établir...

Retenons que les produits de la mer sont en général d'excellentes sources d'acides gras protecteurs... ainsi que de beaucoup d'autres nutriments indispensables. Mais ils sont souvent pollués, comme le milieu dans lequel ils vivent...

Les huiles végétales

Elles ont été encore plus modifiées, au cours du siècle dernier, que les graisses animales !

Les hommes préhistoriques ne connaissaient ces corps gras que sous la forme des végétaux qui les renferment, en particulier dans les fruits oléagineux : noix, olives, etc.

Mais les procédés industriels d'extraction des huiles, en particulier le chauffage, les ont rendues de moins en moins « physiologiques » (adaptées à l'humain).

En particulier, à côté des acides gras naturels, sont apparues les graisses dites hydrogénées, qui contiennent des acides gras « trans » (ce terme fait référence à l'orientation dans l'espace des liaisons chimiques). Ces corps gras sont à proscrire, car ce sont de loin les plus toxiques (pro-inflammatoires). **On les retrouve principalement dans les huiles extraites par chauffage (et donc toutes les margarines...) ou procédé chimique.** Leur emploi a été très large il y a quelques années, il est de plus en plus réglementé de nos jours, mais ces graisses sont encore présentes dans de nombreux aliments préparés industriellement, car elles se conservent longtemps.

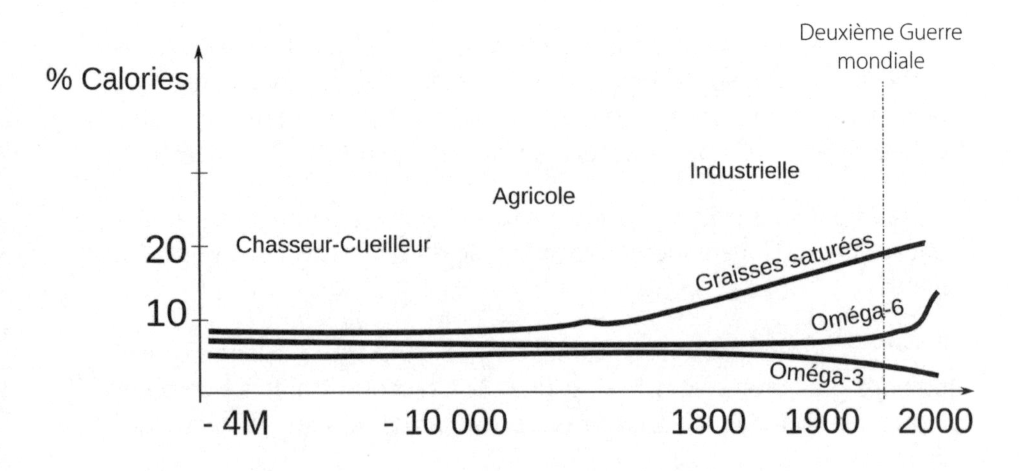

Figure 21 - Évolution du « carburant de nos cellules » à travers les âges

Pour prendre une image, le déséquilibre en acides gras de notre alimentation actuelle correspondrait à faire rouler notre voiture avec un mélange pour tondeuse, par exemple ; les effets immédiats seraient peut-être peu visibles, mais l'encrassement serait source de sérieux problèmes à moyen ou long terme ! Mais souvent nous nous inquiétons davantage de ce que nous mettons dans notre voiture que de ce dont nous nourrissons notre organisme…

Nous verrons plus loin qu'il est possible de visualiser, grâce à un simple bilan sanguin, si le « carburant » que nous proposons à nos cellules est équilibré (voir p. 118 « Le profil des acides gras »).

La distinction que j'ai faite, jusqu'ici, entre sucres et acides gras n'est en réalité pas aussi marquée : il existe des passerelles entre les métabolismes des trois groupes d'aliments (glucides, lipides et protides).

En cas d'apport excessif d'un nutriment, celui-ci sera souvent transformé en graisse pour être stocké.

À l'inverse, en cas de jeûne, les trois groupes d'aliments seront métabolisés et brûlés pour produire de l'énergie : en priorité les glucides (stockés dans le foie), puis les lipides (graisses), et enfin les protéines (en particulier les muscles).

Les graisses endogènes

Les graisses sont apportées par notre alimentation, mais nous avons vu qu'elles proviennent également d'un excès de sucres et d'alcool, par l'intermédiaire des phénomènes de stockage.

Il est donc illusoire (et même dangereux) d'éviter tout apport de graisses dans notre alimentation ; il faut au contraire apporter les bons acides gras.

Les bonnes et les mauvaises graisses

En synthèse, nous pouvons établir un palmarès des graisses, des moins nocives aux plus toxiques (de même que la toxicité des sucres peut être évaluée en fonction de leur index glycémique).

Toxicité à froid	Non chauffées	Toxicité si chauffées
++++ (ont déjà été chauffées)	graisses hydrogénées	++++
+++	acide palmitique	+++
++	acides gras saturés : viandes, beurre...	++
+	acides gras mono-insaturés	++
+	oméga 6 en excès	+++
protectrices	oméga 6 sans excès	+++
protectrices	oméga 3	+++

Figure 22 - Les acides gras : toxiques ou protecteurs ?

Les acides gras « trans », ou graisses « hydrogénées », sont donc les plus fortement toxiques pour l'organisme. Ils existent en petites quantités à l'état naturel, mais proviennent de nos jours essentiellement des procédés d'extraction industrielle des huiles. Les margarines contiennent, pour la plupart, des huiles hydrogénées (acides gras « trans »). Et le fait que certaines soient enrichies en oméga 3 ne suffit pas à les rendre équilibrées.

Il est important de préciser que nous « fabriquons » nous-mêmes, sans le savoir, ces acides gras toxiques en cuisinant, lorsque nous chauffons les huiles à une trop forte température : lorsque l'huile crépite dans la poêle, c'est le signe que les acides gras se transforment en variétés « trans » !

La chaleur dégrade également fortement les graisses poly-insaturées (acides gras oméga 3 et 6), qui doivent donc être strictement réservées à l'assaisonnement. **Pour la cuisson, il n'existe donc pas de bonne graisse**, mais les moins toxiques sont le beurre et les huiles pauvres en oméga 3 : tournesol, olive. La graisse de canard est intéressante, car elle est particulièrement stable à haute température. Elle participe à l'explication du « French paradox » : parmi les pays qui consomment des quantités équivalentes de graisse par habitant, la France présente les taux de maladies cardio-vasculaires et de cancers les plus bas, notamment dans le Sud-Ouest, grand consommateur de canard... Voici encore une illustration du fait que, plutôt que la quantité, c'est la qualité des aliments qui détermine la santé.

Dans le triste palmarès des toxicités, l'acide palmitique (issu de l'huile de palme) arrive en deuxième position. Or, il entre dans la composition de pratiquement tous les aliments industriels (en raison de son faible coût et de sa bonne conservation dans le temps), y compris dans les laits pour bébés ! Voici un « aliment poison » très répandu, incontournable si l'on consomme des produits préparés ! Il est très difficile de trouver un biscuit qui n'en contient pas, fut-il « bio » (la graisse de palme issue de l'agriculture biologique a pour seul mérite de ne pas ajouter des polluants, mais reste toxique en elle-même).

Concernant les graisses poly-insaturées, je rappelle qu'elles sont globalement protectrices à condition que nos apports respectent un ratio entre oméga 6 et oméga 3 de trois pour un. De nos jours, le rapport moyen de notre alimentation est de 15 pour 1 (il est possible de le mesurer par dosage sanguin), ce qui aboutit à un état fortement pro-inflammatoire. Au fil du temps, les publications médicales ont d'abord établi la responsabilité d'un déficit en oméga 3 dans la survenue des maladies cardio-vasculaires, puis des syndromes dépressifs, et aujourd'hui de la maladie d'Alzheimer et des cancers.

Les dosages que mes patients ont accepté de financer sont éloquents, ils confirment ces carences dans plus de deux tiers des cas ! La véritable « épidémie » des maladies dégénératives n'est pas étonnante (même s'il ne s'agit que d'une cause parmi d'autres).

Les principales sources d'oméga 3 sont représentées par : les poissons gras, certains fruits secs : noix, noisettes, amandes, et les huiles de colza, de lin et de noix.

L'huile de colza possède un rapport équilibré entre oméga 3 et 6 (précisons que les premières huiles extraites du colza avaient fait l'objet d'une polémique car elles contenaient de l'acide érucique, mais ce problème a été réglé dès 1973). Il est important d'utiliser des huiles vierges, c'est-à-dire extraites sans chauffage ni solvants chimiques.

L'huile d'olive représente l'une des bases du régime crétois ; elle possède des oméga 3 et 6 en proportion équilibrée, et convient donc aux personnes qui ne sont pas carencées en oméga 3. Par contre, elle ne permet pas de corriger un déséquilibre dû à un apport excessif d'oméga 6 par ailleurs.

Les graines de lin sont très riches en oméga 3 ; malheureusement, les graisses qu'elles contiennent s'oxydent rapidement, ce qui explique que l'huile de lin était interdite en France pour usage alimentaire. Depuis peu, il est possible d'en trouver en bouteilles de faible contenance, qui doivent être conservées au réfrigérateur, dans un récipient opaque et pas plus de trois mois.

Il est également possible de bénéficier des bienfaits du lin en écrasant les graines – qui se trouvent de plus en plus facilement dans le commerce – juste avant de les consommer. Il suffit de les moudre (doucement !) et de les saupoudrer sur les aliments : salades, plats chauds (il est préférable de les ajouter en fin de cuisson pour conserver au maximum les oméga 3), etc. Elles ont peu de goût propre ; une consommation de 2 à 3 cuillers à café par jour est recommandée.

Un autre avantage des graines de lin tient à leur richesse en lignanes, des substances qui ont un effet protecteur pour la santé, en particulier contre les cancers.

La plupart des fruits secs : noix, noisettes, amandes... représentent, en réalité, la source d'oméga 3 la plus intéressante, d'autant qu'ils sont également riches en calcium, en anti-oxydants, etc. Le principal avantage de ces oléagineux est que les acides gras y sont bien protégés, à l'abri de l'air et de la lumière. **Une quinzaine de noix (de toutes variétés), de noisettes ou d'amandes tous les jours devient, à juste titre, une recommandation de plus en plus répandue de la part des nutritionnistes.**

Les huiles issues de ces fruits constituent également une bonne source, à condition qu'elles soient extraites à froid et conservées peu de temps : n'oublions pas que les oméga 3 sont fragiles !

Par contre, les arachides (cacahuètes, huile d'arachide...) **contiennent des acides gras qui favorisent l'inflammation.**

Grâce à des apports réguliers d'oméga 3 naturels, la prise sous forme de gélules ou de compléments n'est pas nécessaire. Si l'on y a recours, elle doit être équilibrée. Sur les dosages réalisés par mes patients, il est possible de voir ceux qui ont recours à des compléments inadaptés : ils présentent une carence isolée en acide alpha-linolénique (LNA), un acide gras pourtant essentiel.

Il faut également insister sur la qualité de ces produits : si la lutte contre les carences en oméga 3 commence à s'imposer dans les esprits, encore faut-il que ces acides gras soient de bonne qualité ! Or, ils s'altèrent rapidement ! Si l'intérieur d'une gélule sent le poisson pourri, l'huile est dénaturée...

Pour clore ce chapitre, j'insiste sur le fait qu'**il ne suffit pas d'absorber des oméga 3, naturels ou sous forme de compléments, pour compenser une consommation excessive de « mauvaises graisses » !**

Une fiche pratique en annexe (p. 179) résume les conseils ci-dessus.

Graisses, protéines et flore intestinale

Nous avons vu que l'excès de sucres dans notre alimentation entraînait, avec le temps, un déséquilibre de la flore intestinale.

Mais les graisses ont également un rôle important à cet égard : les acides gras oméga 3, en plus de leur action bénéfique anti-inflammatoire, sont indispensables au maintien ou à la restauration d'une flore intestinale équilibrée, indispensable à une bonne santé.

À l'inverse, les « mauvais » acides gras, couplés à un apport excessif de protéines, sont responsables d'une flore de putréfaction, comme sur une viande laissée à température ambiante. Cette flore va être à l'origine de substances toxiques (rappelons les conséquences de la putréfaction des algues vertes sur les plages), qui vont provoquer un état inflammatoire chronique. C'est par ce mécanisme qu'une alimentation trop riche en viande est responsable d'une augmentation du risque de tous les cancers. Ceci est bien établi, et condamne sans appel les régimes amaigrissants hyper-protéinés, pourtant très en vogue...

Sur le plan pratique

Le retour à une alimentation équilibrée en sucres et en graisses permet donc de diminuer considérablement nos risques d'être victime de maladies chroniques. Progressivement, nous retrouvons notre poids de meilleure santé, sans privations car la sensation de faim redevient adaptée à nos besoins. En cas de surpoids, la perte est d'environ 1 kg par mois, il faut donc accepter d'être patient, mais cette progressivité empêche l'effet « yo-yo ».

Rappelons quelques règles simples : évitons les aliments à base de céréales raffinées ou de farines blanches, préférons-leur les produits complets (ou semi-complets pour les estomacs fragiles) : pain, pâtes, riz, etc. Afin de ralentir leur assimilation, mélangeons-les à des légumes, des corps gras équilibrés, etc.

Un point fondamental doit être souligné à ce stade : bien manger, comme tout le reste, cela s'apprend, et devrait même être enseigné, si l'on considère l'enjeu !

Mais il n'y a pas d'urgence dans ce domaine. Il doit s'agir d'un investissement à long terme, et les inévitables tâtonnements du début ne prêtent pas à conséquence : l'ensemble de nos habitudes alimentaires ne peut pas changer en quelques semaines ! Et un écart de temps en temps ne porte pas à conséquence.

À l'inverse, le risque est de renoncer face aux difficultés, et à la facilité des aliments préparés : c'est là que les industriels pourraient nous aider, en nous proposant des produits alimentaires déjà équilibrés, ce qui reste beaucoup trop rare pour l'instant…

De nombreux livres de recettes, référencés en annexe bibliographique (p. 206), pourront aider les lecteurs à modifier positivement leur habitudes.

Il faut savoir que notre plat national, le célèbre steak-frites, est un parfait exemple de repas hautement pro-inflammatoire :

- les frites ont un index glycémique de 90 !
- elles sont cuites (à haute température), dans des graisses pro-inflammatoires ;

- elles sont accompagnées d'une quantité importante de viande, elle-même déséquilibrée en acides gras... sans parler de la sauce parfois associée.

Les constats sont identiques pour les produits vedettes de la restauration rapide : hamburgers, sources de farines blanches, de « fromages » surcuits, etc. Or il s'agit là des repas de prédilection de nos enfants !

Ceci est d'autant plus dommage que la plupart des plats régionaux, particulièrement goûteux, sont très équilibrés sur le plan nutritionnel : cassoulet, potée, ratatouille, choucroute, paëlla, couscous, et beaucoup d'autres !

Récemment, un index a été élaboré par le Dr Rougier pour aider les consommateurs à identifier la qualité des aliments d'un simple coup d'œil, grâce à une classification en quatre groupes. Il s'agit de l'index Slimdata®, développé initialement pour les régimes amaigrissants :

- les « aliments-santé » sont en vert ;
- les intermédiaires en orange ;
- ceux à consommer en petites quantités sont en rouge.
- les aliments en violet sont franchement « toxiques ».

En se référant aux messages inscrits sur les paquets de cigarettes, ces produits violets pourraient comporter l'affichage : « Mal manger tue » ! ! ! Si la formule peut prêter à sourire, elle est malheureusement exacte pour ces produits très déséquilibrés... Il s'agit de véritables poisons à long terme, ils devraient être perçus comme tels, en particulier par les enfants, qui en sont les premières cibles...

Sur un plan pratique, deux écueils principaux menacent les adeptes d'une alimentation équilibrée :

- le manque de temps ;
- le manque de moyens.

Le manque de temps

Le manque de temps représente une difficulté pour bien se nourrir, car cela va nous inciter à consommer, à domicile ou sur notre lieu de travail, des plats pré-conditionnés, ou même tout prêts. Or, ces préparations sont presque toujours déséquilibrées en sucres et graisses.

Quelques exemples :

- le riz précuit a un index glycémique de 85, très supérieur au riz cuit de manière classique (IG de 50 à 70) ;
- les plats cuisinés, les pâtisseries industrielles utilisent très souvent du sirop de glucose, de l'huile de palme, voire des graisses hydrogénées.

Ces préparations nécessitent souvent des cuissons à forte température : micro-ondes, friture, gril, etc., particulièrement néfastes sur tous les plans.

Dans les différents lieux de restauration collective, les constatations ne sont guère meilleures : le plus souvent, le plat principal tourne autour d'une viande, l'accompagnement se résume le plus souvent à des frites, les fruits et légumes crus sont rares.

Ainsi, « fast food » rime souvent avec « néfaste food », pour reprendre le titre d'une chanson contre la « malbouffe ».

Pourtant, il suffit de peu de chose pour améliorer considérablement la qualité nutritionnelle de ces repas, sans en augmenter le prix de revient : les légumes bon marché (carottes, pommes de terre) auront un index glycémique abaissé s'ils sont mélangés à des haricots verts, des choux…

Les produits à base de céréales devront faire appel aux farines complètes, ou au minimum semi-complètes. Il est alors préférable de les choisir « bio », car c'est dans l'enveloppe des céréales que se concentrent les pesticides.

Le riz blanc précuit peut être remplacé sans surcoût par du riz basmati, et accompagné de tomate, par exemple.

L'ajout d'épices, dont le célèbre curcuma, améliore encore la qualité nutritionnelle (et gustative…) des plats.

La viande ne doit pas être systématique au quotidien, et devrait être régulièrement remplacée par des petits poissons gras.

Le manque de moyens : le coût de la santé

Une alimentation saine et équilibrée est économique !

La preuve en est apportée dans la fiche annexe consacrée à ce sujet. (« Bien manger ne coûte pas plus cher », p. 172). L'argument financier souvent mis en avant par les victimes de la « malbouffe » repose en réalité sur leur manque d'information... savamment entretenu par les publicitaires !

Ce qu'il faut retenir :

Notre alimentation moderne est devenue toxique suite à la modification de la qualité « moléculaire » des produits consommés :

- les aliments qui constituent la base de notre alimentation sont maintenant tous raffinés ;
- la part des sucres rapides a considérablement augmenté ;
- les apports en acides gras sont de plus en plus déséquilibrés.

Ces modifications profondes de notre alimentation sont à l'origine d'une inflammation chronique de nos tissus et de nos organes, très néfaste pour notre santé.

Pour en savoir plus :

La notion de poids idéal

Il existe une relation incontestable entre le surpoids et la fréquence des maladies métaboliques, cardio-vasculaires, ou de certains cancers.

Ainsi, un « poids de meilleure santé » a-t-il été défini : il correspond au poids moyen (pour une taille donnée) où le risque global de maladies est le plus faible. Il peut se calculer grâce à la formule de Lorentz :

- pour les hommes :
  $$\text{Poids idéal (en kg)} = \text{Taille (en cm)} - 100 - \frac{(\text{Taille (en cm)} - 150)}{4}$$
- pour les femmes :
  $$\text{Poids idéal (en kg)} = \text{Taille (en cm)} - 100 - \frac{(\text{Taille (en cm)} - 150)}{2}$$

Par exemple, pour un homme de 178 cm, le poids idéal est de :

$$(178 - 100) - \frac{(178 - 150)}{4}$$

$$= 78 - \frac{28}{4}$$

$$= 78 - 7 \quad = 71 \text{ kg.}$$

Cette formule a été affinée en tenant compte de l'âge.

De nombreux sites Internet (voir liens en annexe, p. 209) proposent de calculer ce « poids idéal » ; il est plus précis que l'indice de masse corporelle, qui fournit une large fourchette de poids théorique pour une taille donnée.

Index glycémique et index insulinique

La digestion des sucres aboutit à la libération de molécules de glucose, qui sont absorbées par l'intestin et qui passent dans le sang. En cas de consommation de sucres rapides, l'afflux de glucose dans le sang est massif, ce qui entraîne un « pic » de glucose.

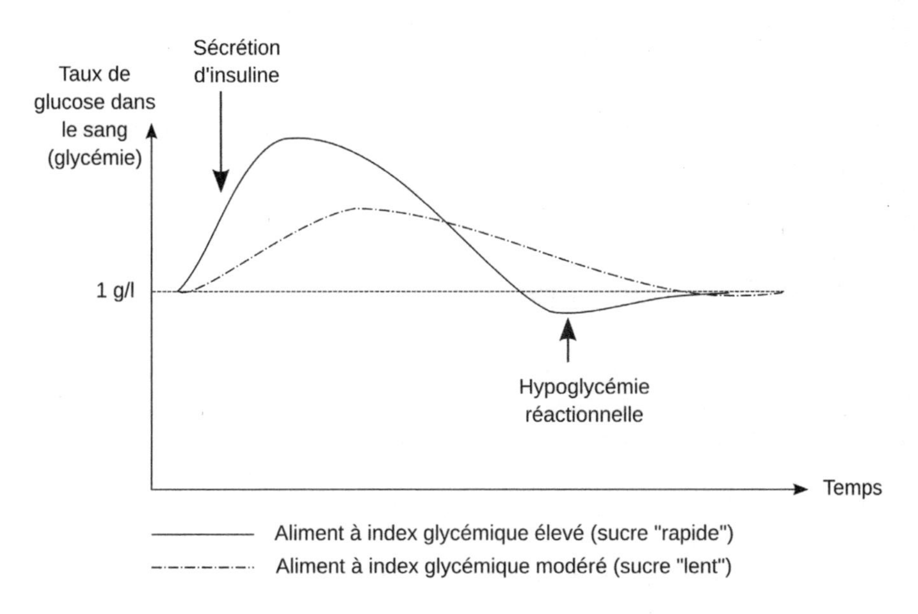

Figure 23 - Glycémie et index glycémique

En réaction à cet afflux de glucose, notre organisme va sécréter de l'insuline. Il s'agit d'une hormone, synthétisée par le pancréas, qui a pour effet de rendre les membranes de toutes les cellules de l'organisme « perméables au glucose ». Elle permet ainsi son utilisation : production de calories... mais aussi stockage en cas d'apport excessif : accumulation dans le foie (sous forme de glycogène, utilisable rapidement en cas de besoin), puis dans le tissu adipeux sous forme de graisses.

L'importance du pic d'insuline va déterminer le délai avant l'apparition de la prochaine sensation de faim : plus vite le sucre absorbé sera utilisé et/ou stocké, plus vite reviendra le besoin de manger. Sur la courbe ci-dessus, la sensation de faim correspond au « creux de la vague » (au-dessous du seuil de 1 gramme de glucose par litre de sang), que l'on appelle hypoglycémie réactionnelle. Elle est d'autant plus marquée que le pic de glucose était important, c'est-à-dire que l'on avait absorbé des sucres rapides.

On aboutit ainsi à un cercle vicieux de l'obésité, car, après une prise d'aliments à index glycémique élevé (source de stockage), survient une sensation de « faim précoce » (fausse faim !) que l'on combat tout naturellement par des grignotages d'aliments sucrés, etc.

Les produits laitiers font partie des sucres lents (index glycémique faible), mais ils possèdent une particularité gênante : un index insulinique élevé, c'est-à-dire une stimulation directe de la sécrétion d'insuline par le pancréas. Or, cette sécrétion s'accompagne de la libération d'une autre hormone, ***l'IGF-1, qui a une action pro-inflammatoire directe****, et qui joue un rôle majeur dans la genèse des maladies chroniques.*

Le profil des acides gras

Aujourd'hui, il est possible d'évaluer précisément les déséquilibres de notre alimentation en effectuant un « profil des acides gras ». Ce bilan, réalisé par un très petit nombre de laboratoires d'analyses, consiste à doser la concentration des acides gras au niveau des membranes des globules rouges (les membranes cellulaires sont en effet constituées principalement de lipides, et la durée de vie de ces globules est de 120 jours environ). Leur analyse est donc un reflet fiable de nos apports lipidiques, mais aussi, indirectement, de l'excès de sucres et/ou d'alcool.

Dans l'exemple ci-dessous, les traits noirs correspondent aux valeurs mesurées chez le sujet, et les rectangles de couleurs représentent les fourchettes de valeurs normales pour les différents acides gras.

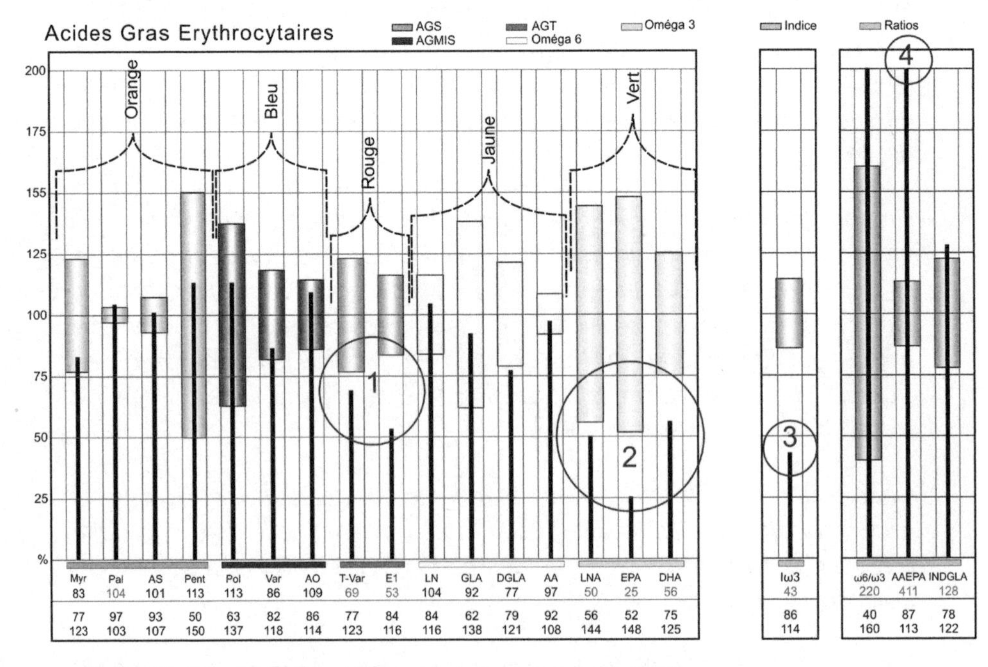

Figure 24 - Le « profil des acides gras » et ses enseignements

De gauche à droite :

- *en orange, les acides gras saturés ;*
- *en bleu, les mono-insaturés ;*
- *les rectangles rouges correspondent aux acides gras « trans » (ou hydrogénés). Il n'y a, bien sûr, aucun inconvénient à se situer au-dessous du seuil minimum pour ce type d'acides gras, comme c'est le cas ici (cercle 1).*
- *les oméga 6 sont en jaune (dont l'acide arachidonique, ou « AA », qui est pro-inflammatoire) ;*
- *les oméga 3 sont en vert.*

Sur cet exemple, l'insuffisance en oméga 3 saute aux yeux (cercle 2), mais ce type de résultat est malheureusement celui que l'on obtient le plus souvent (deux fois sur trois dans mon expérience) : il correspond peut-être aussi à votre profil !

Les rectangles gris, à droite du schéma, correspondent à des rapports calculés entre les différents acides gras.

L'indice des oméga 3 est le marqueur le plus fiable du risque cardio-vasculaire (bien plus que le taux de cholestérol, par exemple). Dans cet exemple, il est effondré (cercle 3).

Le rapport AA/EPA est un reflet du rapport entre oméga 6 et oméga 3, que nous avons déjà évoqué ; il témoigne du risque inflammatoire. Chez mes patients, il était augmenté trois fois sur quatre ; il est ici à 411 % (cercle 4) !

Ce profil est donc très riche en enseignements, bien plus que les dosages réalisés couramment : glycémie, bilan lipidique, etc., qui varient en fonction des repas récents. Mais il n'est malheureusement pas remboursé par la sécurité sociale !

En cas de carences spécifiques en certains acides gras, il est possible de faire appel à des huiles spéciales : l'huile de bourrache est une source d'acide dihomogammalinoléique (DGLA), l'huile de cameline est très riche en acide alpha-linolénique (LNA), etc.

Chapitre

4

Micro-nutrition et phytothérapie

Les aliments que nous consommons fournissent à nos organismes les calories indispensables à la vie. Cet aspect énergétique et quantitatif représente la macro-nutrition.

Mais ces aliments nous apportent également des substances en quantité infime, qui sont pourtant autant indispensables à notre survie que les calories. Ces substances sont regroupées sous le terme de micro-nutriments.

Il s'agit :

- des oligo-éléments : fer, cuivre, zinc, sélénium, chrome, etc.
- des vitamines : A, B, C, D, E...
- mais également de nombreuses autres molécules protectrices (enzymes, acides aminés...) offertes par la nature, et dont nous aurions tort de nous priver !

L'approche micro-nutritionnelle de la santé est relativement récente, mais elle est en plein essor, pour de nombreuses spécialités médicales : rhumatologie, allergologie ou obstétrique, par exemple.

Elle pourrait être qualifiée de « transversale », car elle a des répercussions sur l'ensemble des pathologies : on pourrait aussi la définir comme une « médecine de la cellule », par opposition à la « médecine d'organe » (pneumologie, cardiologie, dermatologie, etc.).

Le Pr Vincent Castronovo est l'un des pionniers et des référents mondiaux de cette nouvelle spécialité. Il est directeur de l'Institut de Recherche sur les Métastases à Liège, et c'est donc également par le biais de la cancérologie qu'il est venu à s'intéresser à cette approche nutritionnelle des maladies. Mais il s'est aperçu rapidement que ce que l'on pouvait en attendre dépassait très largement le domaine de la cancérologie.

L'approche micro-nutritionnelle a pour but de s'assurer que l'organisme dispose des substances indispensables à un fonctionnement harmonieux de l'organisme, en particulier qu'il ne souffre pas de carences.

Durant la préhistoire et l'histoire, ces déficits en micro-nutriments étaient fréquents, surtout en périodes de disette. Mais, contrairement à une idée très répandue, ils n'ont pas disparu de nos jours ; ils concernent désormais de nombreuses substances autrefois abondantes : vitamines, minéraux, anti-oxydants, etc.

Comment expliquer ces carences aujourd'hui, dans nos pays où l'alimentation est quantitativement suffisante, souvent même trop abondante ?

Les raisons en sont nombreuses :

- L'agriculture intensive est responsable d'un appauvrissement des sols, en particulier pour les oligo-éléments : magnésium, sélénium, etc.
- La diminution de notre activité physique quotidienne moyenne fait que nos besoins caloriques sont passés de 3000 ou 4000 kCal par jour à 2000 kCal par jour en deux siècles. Il s'ensuit une réduction du tiers, voire de la moitié de nos apports micro-nutritionnels.
- Parallèlement, il existe souvent une augmentation des besoins en micro-nutriments, par exemple à cause d'un état de stress oxydant, ou pour soutenir la détoxication par le foie.
- Les intolérances alimentaires sont une cause majeure de mal-absorption des oligo-éléments.
- Surtout, **les aliments que nous consommons quotidiennement sont majoritairement raffinés** : sucre, farines et dérivés, graisses, sel, etc. Et au fil des générations, nos repas sont devenus de moins en moins variés : de nombreux légumes ne font pratiquement plus partie de nos assiettes : choux, poireaux, etc. Nous arrivons à l'ère de la « pensée culinaire unique » : steak-frites – hamburger – pizza !!!

L'importance de ces oligo-éléments, qui ne représentent que quelques grammes sur notre ration alimentaire, est pourtant fondamentale. Nous reviendrons en détail sur les conséquences de leurs carences.

Les oligo-éléments

Il en existe de très nombreux : fer (Fe), cuivre (Cu), zinc (Zn), sélénium (Se), chrome (Cr), brome (Br), magnésium (Mg), manganèse (Mn), molybdène (Mb)...

Il est impossible de détailler ici les fonctions de ces substances, car elles agissent comme catalyseurs d'innombrables réactions chimiques. Pour n'en citer que quelques-unes :

- le zinc, le sélénium sont indispensables au bon fonctionnement du système immunitaire ;
- le chrome joue un rôle dans la sensibilité à l'insuline ;
- une carence en manganèse favorise les allergies.

Il est par contre important d'insister sur le fait que (contrairement aux idées reçues) leur présence en excès peut être aussi néfaste que leur carence. Ainsi, le fer est indispensable à la réaction inflammatoire, qui peut être utile, mais qui est délétère lorsqu'elle devient chronique. En cas de cancer, il est préférable de maintenir un taux de fer relativement bas : les patients devront éviter les nombreux compléments alimentaires qui en contiennent. De même, nous verrons que le cuivre est indispensable à l'angiogénèse, processus que l'on cherche à bloquer en cas de cancer. Mais une carence en cuivre expose au risque de stress oxydant.

Il est donc fondamental de ne pas prendre des compléments alimentaires au hasard, mais seulement en cas de carences avérées, et en fonction de la pathologie traitée. Le problème est que le dosage des oligo-éléments dans le sang est souvent un reflet assez médiocre de leur taux à l'intérieur des cellules. La meilleure attitude consiste donc à avoir une alimentation variée, riche en fruits et légumes, afin de couvrir tous nos besoins journaliers.

Les vitamines

La vitamine A

La vitamine A est essentielle à la vision, à la croissance des os et au fonctionnement des systèmes reproducteur et immunitaire. En particulier, elle contribue à la santé de la peau et des muqueuses, qui constituent notre première ligne de défense contre les bactéries et les virus.

La vitamine A peut être apportée par les aliments d'origine animale, mais peut également être synthétisée, en cas de besoin, à partir d'un pigment, le bêta-carotène, présent dans les végétaux de couleur foncée. Ceci explique les bienfaits attribués aux carottes pour la vision, en particulier nocturne. Selon le bon sens populaire, la vitamine A aurait également la vertu de rendre aimable… : un atout majeur de santé durable !!!

Les vitamines du groupe B

Elles sont nombreuses : B3, B5, B6, B9 et B12, et leurs actions sont très différentes.

La vitamine B3, ou acide nicotinique, est à l'origine de deux importants coenzymes qui participent à plus de 200 réactions enzymatiques, en particulier dans le métabolisme des protéines, des lipides et des glucides, et dans la production des neurotransmetteurs. Ceci explique les effets de la nicotine sur notre organisme.

L'organisme la synthétise en petites quantités, à partir du tryptophane, un acide aminé essentiel, que l'on trouve principalement dans les protéines animales (œufs, lait, volaille, notamment).

La vitamine B5 est un précurseur du coenzyme A, qui agit sur le système nerveux et sur les glandes surrénales, d'où son surnom de « vitamine antistress ». Elle participe également à la formation et à la régénération de la peau et des muqueuses, et au métabolisme des lipides.

La vitamine B6 joue un rôle important dans le fonctionnement du système cardio-vasculaire et du système nerveux.

La vitamine B9, ou acide folique, joue un rôle essentiel dans la production des nouvelles cellules et du matériel génétique (ADN, ARN), par l'intermédiaire du processus de méthylation, conjointement avec la vitamine B12. Les lecteurs intéressés pourront se reporter à la section (p. 134) consacré à cette grande fonction vitale.

La vitamine B12, (ou cobalamine, en raison de sa teneur en cobalt) est également indispensable à la croissance et à la division cellulaire, au fonctionnement normal de toutes les cellules du corps et à l'équilibre du système nerveux. Elle intervient, avec la vitamine B9, dans la synthèse de l'ADN et de l'ARN, des protéines, dans la formation des globules rouges, ainsi que dans le métabolisme des glucides et des lipides.

L'absorption de la vitamine B12 nécessite la présence d'acide chlorhydrique et d'une substance sécrétée par la muqueuse de l'estomac (le facteur intrinsèque).

La vitamine C

La vitamine C est indispensable à des centaines de processus, comme la production du collagène et des globules rouges, ainsi que pour la fonction immunitaire. Par son important pouvoir anti-oxydant, elle protège les cellules contre les dommages des radicaux libres.

Ce sont les fruits et les légumes colorés et crus qui contiennent le plus de vitamine C : poivron rouge, papaye, kiwi, orange, mangue, brocoli, pamplemousse, citron, cantaloup, framboise, fraise, tomate, et, bien sûr, la célèbre acérola, une petite cerise du Brésil.

La vitamine C est fragile, elle est détruite par la chaleur.

La vitamine D

La fonction de cette vitamine a longtemps été réduite au métabolisme du calcium et du phosphore, où elle joue en effet un rôle primordial.

Mais de nombreuses publications apportent régulièrement la preuve du rôle favorisant majeur d'une carence en vitamine D, pour des maladies aussi variées que les infections, les maladies cardio-vasculaires, les cancers, l'autisme, etc. Curieusement, nous retrouvons dans cette liste les mêmes maladies que celles favorisées par toute inflammation chronique…

Il est important de noter que les taux de vitamine D nécessaires pour prévenir ces maladies sont assez élevés : 50 à 70 ng/ml, alors que le taux sanguin habituellement recommandé se situe entre 30 et 50 ng/ml. Un quart de la population mondiale serait ainsi carencée ; or selon une étude américaine, une carence en vitamine D serait associée à un excès de mortalité de 26 %, toutes causes confondues, sur une période de suivi de 10 ans.

La prévention des carences en vitamine D est donc fondamentale. Les meilleurs moyens d'y parvenir consistent à s'exposer régulièrement (mais raisonnablement) au soleil, et à faire régulièrement des cures d'huile de foie de morue (existe en gélules).

Notons cependant que l'excès de vitamine D présente des risques pour la santé ; sa prescription médicale doit donc être justifiée, puis adaptée en fonction des dosages.

La vitamine E

La vitamine E se présente en réalité sous plusieurs formes chimiques (quatre tocophérols et quatre tocotriénols), qui ont des fonctions différentes. Leur dosage sanguin est donc difficile.

Leur rôle est essentiel dans la protection des membranes de toutes les cellules de l'organisme. Elles possèdent aussi des propriétés anti-oxydantes, anti-inflammatoires, antiplaquettaires et vaso-dilatatrices qui favorisent la santé du cœur.

La vitamine K

La vitamine K joue un rôle important dans la coagulation du sang : les anti-vitamines K (AVK) sont utilisées pour « fluidifier » le sang (éviter sa coagulation).

Les micronutriments que nous venons de voir jouent un rôle fondamental dans les grands processus vitaux suivants :

- le stress oxydant ;
- la méthylation et la détoxication ;
- l'inflammation ;
- l'angiogénèse.

Avant de détailler ces processus, il est important de préciser la place de la micro-nutrition en pathologie humaine.

Micro-nutrition et maladies

Les principales études épidémiologiques réalisées pour préciser l'impact de l'alimentation sur les maladies ont été consacrées au risque de survenue des cancers. Durant ces dernières années, elles ont fait couler beaucoup d'encre !

- Deux études (SU.VI.MAX et NITL) ont montré une diminution du risque de cancers grâce à la supplémentation en certaines vitamines et oligo-éléments.
- Deux études (PHS et WHS) n 'ont pas montré d'influence.
- Deux études (ATBC et CARET) ont montré un effet néfaste de la supplémentation !

L'étude SU.VI.MAX, réalisée en France, a enregistré le devenir de 13 017 volontaires sains, suivis de 1994 à 2002.

La moitié de ces sujets avaient un apport supplémentaire en carotène, vitamines C et E, sélénium et zinc.

Il s'agissait d'une étude prospective, et en double aveugle, c'est-à-dire que les sujets de l'étude ne savaient pas s'ils prenaient des compléments alimentaires ou des placebos, et les médecins qui en assuraient le suivi non plus.

Les résultats de ce travail ont fait beaucoup de bruit : en effet, à la fin de l'étude, on notait une diminution de 31 % du risque de cancers chez les hommes ($p < 0,008$) !... Par contre, il n'y avait pas de bénéfice chez les femmes... nous verrons pourquoi.

Mais le bel optimisme de l'étude SU.VI.MAX se trouva rapidement refroidi par les résultats de l'étude CARET : un anti-oxydant (du béta-carotène) fut donné à 18 500 sujets à risque accru de cancer du poumon (fumeurs), à partir de 1991. Cette étude dut être interrompue en 1996, car non seulement il n'existait aucune action protectrice, mais les observateurs notèrent au contraire une augmentation du risque de cancer du poumon de 28 % !

L'étude ATBC, auprès de 29 000 fumeurs, retrouva également une augmentation du risque de 16 % !

L'explication de cet effet nocif du béta-carotène est désormais connue, en particulier chez les fumeurs.

Sans entrer dans les détails, le métabolisme de cet anti-oxydant donne naissance à des dérivés qui sont toxiques en trop grande quantité (nous avions déjà rencontré ce phénomène pour les oméga 6).

Les études récentes permettent désormais d'énoncer cette règle fondamentale :

**la prise de micro-nutriments n'est utile qu'en cas de carence(s), et à des doses physiologiques !!!
L 'excès d 'apport est par contre néfaste.**

Nous retrouvons ici la notion de juste équilibre, qui régit tout dans la nature : une plante qui manque d'eau souffre et risque de mourir, mais un excès d'eau est également néfaste et aboutira au pourrissement de la plante. Cette règle fondamentale se vérifie pour l'ensemble des constituants de l'organisme, des plus abondants, comme l'eau, aux plus infinitésimaux, comme les oligo-éléments. Elle explique d'ailleurs pourquoi les femmes n'ont pas retiré de bénéfice dans l'étude SU.VI.MAX : elles sont, en moyenne, moins carencées que les hommes, car elles consomment plus de fruits et légumes.

Au stade de la prévention, des centaines de publications médicales attestent de l'augmentation du risque de cancers et de très nombreuses maladies en cas de carences en vitamines et oligo-éléments.

Sur la base de ces études, Vincent Castronovo estime que la normalisation des taux de sélénium et de vitamine E, associée à un apport régulier de lycopène (tomate) et de phyto-œstrogènes (soja, etc.), diminuerait de 75 % le risque de survenue d'un cancer de la prostate ! (Par contre, une supplémentation systématique et non personnalisée en sélénium et vitamine E a pour conséquence une augmentation du risque !).

En curatif, le bénéfice que l'on peut attendre de la correction des carences (ou des excès) est probablement moindre qu'en préventif, mais un certain nombre d'articles font également état d'une efficacité au stade de cancer déclaré.

Depuis que je fais doser systématiquement les principales vitamines et oligo-éléments chez mes patients, je retrouve :

- un excès de cuivre chez près de 40 % (en fixant un seuil haut de 120 ng/ml) ;
- un déficit en zinc chez 50 % (pour un seuil minimal de 84 ng/ml) ;
- une carence en sélénium chez 77 % (pour un seuil bas à 90 ng/ml) ;
- pour la vitamine D, un taux inférieur à 30 ng/ml dans 78 % des cas, et inférieur à 50 ng/ml plus de 9 fois sur 10 ! La supplémentation est donc pratiquement toujours nécessaire ;
- un déficit en vitamines du groupe B dans 50 % des cas environ.

Soit des déséquilibres, parfois profonds, chez la grande majorité des patients ! Il faut les corriger, même si les bénéfices exacts que l'on peut en attendre sont difficiles à mesurer. Un changement des habitudes alimentaires est souvent suffisant, sans avoir recours à des compléments nutritionnels.

En cas de carences multiples, il est important de rechercher l'existence d'une porosité intestinale, qui est responsable d'une mauvaise assimilation de ces vitamines et oligo-éléments.

Micro-nutrition et processus vitaux

Micro-nutrition et stress oxydant

Le stress oxydant (ou stress oxydatif) peut se définir par un excès de radicaux libres dans les tissus : il s'agit donc d'un stress (une agression) au niveau cellulaire.

Ceci permet de préciser que ce phénomène n'a aucun rapport avec l'état de stress psychologique... (mais les deux se combinent négativement !).

Le lien entre stress oxydant et vieillissement, maladies cardio-vasculaires, cancers, etc., est désormais parfaitement établi, mais sa fréquence varie selon le type de cancers, l'âge, le mode de vie...

Les radicaux libres sont de toutes petites particules (atomes ou molécules), très instables et donc très réactives, car elles possèdent un électron non apparié (dit célibataire).

Les principaux radicaux libres sont : le radical dioxygène O2° et le radical hydroxyle OH°.

Les radicaux libres sont produits de manière physiologique lors de la production d'énergie par nos cellules, dans les mitochondries, ou par les réactions de détoxication au niveau du foie.

Mais d'autres sources sont consécutives à des situations pathologiques :

- toute réaction inflammatoire ;
- et surtout, le tabagisme.

Pour lutter contre ces particules, la nature a dû « inventer » des pièges à radicaux libres. Mais ces processus nécessitent des oligo-éléments en bonnes proportions : fer, cuivre, zinc, etc., l'excès étant aussi néfaste qu'une carence, rappelons-le une fois encore.

La micro-nutrition permet, en se basant sur des dosages biologiques, de restaurer les processus de lutte contre le stress oxydatif. Néanmoins, ces bilans sont complexes, coûteux et encore sujets à caution.

Fort heureusement, il existe, à côté des mécanismes anti-oxydants présents naturellement dans nos cellules, des molécules protectrices contre l'oxydation, en particulier dans les végétaux. Cette prédominance est logique, car les animaux ont la possibilité (grâce à leur motricité) d'éviter les agressions du soleil, comme les rayonnements ultraviolets, particulièrement nocifs. Ils recherchent l'ombre, ce que ne peuvent faire les plantes (d'ailleurs, elles ne le « voudraient » pas, car elles ont besoin de la photosynthèse pour vivre). La nature a donc doté les végétaux d'une très grande variété de molécules protectrices contre les radicaux libres (véritables « anti-rouille »).

Avec ces substances, nous abordons la notion de phytothérapie, c'est-à-dire de l'apport, par certaines plantes (phytos), de molécules ayant des actions thérapeutiques. Ce ne sont pas des aliments à proprement parler, car ils n'apportent pas obligatoirement des calories, mais leur rôle n'en est pas moins primordial, et leur carence est donc particulièrement néfaste.

Pour cette raison, les végétaux qui contiennent ces substances actives sont aussi appelés « nutricaments ».

Sur ce plan, la plupart des épices apparaissent bénéfiques : les Indiens, qui en consomment quotidiennement de grandes quantités, ont une santé remarquable, eu égard à leurs conditions d'hygiène de vie.

De très nombreux livres détaillent, depuis des siècles, les bienfaits des aliments et des plantes sur la santé (voir bibliographie).

Micro-nutrition, détoxication et méthylation

La méthylation est une réaction biochimique fondamentale pour les organismes vivants : elle correspond à l'ajout d'un radical méthyl (-CH3) sur une molécule, et intervient dans un grand nombre de réactions indispensables au bon fonctionnement de l'organisme.

Ainsi, la méthylation des bases azotées de l'ADN joue-t-elle un rôle majeur dans la régulation des gènes cellulaires : expression ou répression. Il est possible d'imaginer son impact sur les gènes impliqués dans la cancérogénèse, par exemple…

Mais elle joue également de nombreux autres rôles : lors de la détoxication hépatique, de la synthèse des neuromédiateurs, des hormones, etc.

Le cycle de la méthylation est parfaitement connu, il est sous la dépendance des vitamines du groupe B (B9 et B12).

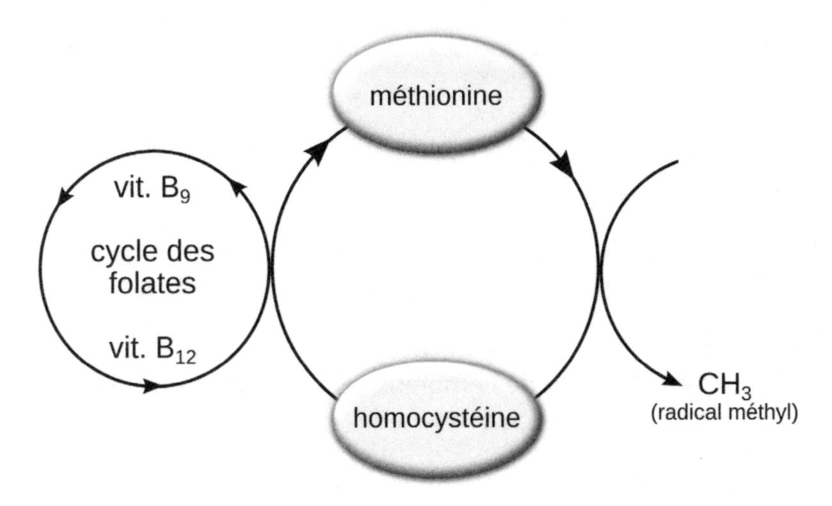

Figure 25 - Le cycle de la méthylation

La recherche d'une carence en méthylation se fait par simple dosage sanguin d'homocystéine : un taux excessif traduit une insuffisance du cycle, par carence en vitamines du groupe B (le dosage des vitamines elles-mêmes est moins fiable, car les quantités nécessaires varient génétiquement d'un individu à l'autre).

Un déficit en vitamines du groupe B a été corrélé à un risque accru de cancers colorectaux et mammaires, en particulier.

Or, cette carence est fréquente : dans mon expérience, la moitié des patients que je prends en charge ont une augmentation du taux d'homocystéine, qu'il faut corriger en apportant des vitamines du groupe B. La levure de bière est une bonne source naturelle.

Précisons qu'il existe une controverse sur la vitamine B12, réputée faire croître les tumeurs. Là encore, l'excès peut être aussi nocif que le manque : il ne faut prendre des compléments nutritionnels qu'en cas de carence avérée.

Micro-nutrition et inflammation

Nous avons vu que certains aliments ont une action pro-inflammatoire (sucres rapides, graisses « toxiques »), d'autres sont anti-inflammatoires, comme les acides gras oméga 3 (et 6).

Mais certains « nutricaments » ont également une action anti-inflammatoire propre.

C'est le cas du curcuma (une épice très répandue qui entre dans la composition des currys), du thé vert, du vin rouge, de nombreux fruits rouges...

Les tests effectués par le Dr Béliveau sur ces substances sont impressionnants : in vitro, **l'activité de nombreux végétaux approche l'efficacité anti-inflammatoire obtenue avec les médicaments les plus récents**.

Le curcuma est la substance naturelle qui a, chez l'homme, la plus forte activité anti-inflammatoire connue. Il est utilisé en pharmacopée traditionnelle dans de nombreux pays, et la recherche pharmaceutique s'intéresse de très près à son principe actif, la curcumine. Certains de mes patients, qui prenaient des médicaments anti-inflammatoires depuis de nombreuses années pour une pathologie rhumatismale, par exemple, ont réussi à les arrêter complètement en consommant quotidiennement 2 à 3 grammes de curcuma chaque jour (à associer à un peu de poivre noir pour augmenter considérablement son absorption intestinale). Il est également possible de s'assurer un apport quotidien en curcumine sous forme de gélules.

Micro-nutrition et angiogénèse

L'angiogénèse, ou formation de nouveaux vaisseaux sanguins, est un processus physiologique, nécessaire par exemple lors de la croissance, ou pour la cicatrisation d'une plaie.

Mais elle peut devenir néfaste, par exemple dans les cas suivants :

- au niveau des cicatrices, qui deviennent alors hypertrophiques ou chéloïdes : épaisses, rouges, douloureuses ;
- au niveau des articulations, en cas de rhumatismes inflammatoires ;

- au niveau de la rétine, où elle aboutit à la dégénérescence maculaire liée à l'âge (DMLA) : voici encore une pathologie dont la fréquence augmente proportionnellement avec le « niveau de vie » des populations ;

- et surtout en cas de cancers, car cette prolifération excessive des vaisseaux sanguins est indispensable à la croissance et à la dissémination des cellules tumorales. Pour cette raison, la recherche a développé de nombreux médicaments anti-angiogéniques, utilisés de plus en plus fréquemment.

L'inflammation est à l'origine de la libération de nombreux médiateurs qui favorisent cette angiogénèse. Tous les aliments anti-inflammatoires ont donc aussi une action anti-angiogénique : acides gras oméga 3, thé vert, curcuma…

Mais d'autres substances ont une action propre sur la formation de ces néo-vaisseaux.

Le cuivre est le fondement de l'angiogénèse : un excès de cuivre sera donc néfaste dans les maladies ci-dessus. En cas d'excès authentifié par un dosage, il est possible d'abaisser le taux de cuivre en diminuant les apports (en particulier, s'assurer de l'absence de prise sous forme de compléments alimentaires !), en augmentant l'apport en zinc (qui est un compétiteur du cuivre), en prescrivant de l'acide alpha-lipoïque.

Les autres substances anti-angiogéniques sont :

- les phyto-œstrogènes, comme ceux du soja ;

- les lignanes, contenues dans les graines végétales, en particulier celles de lin, de sésame et de courge ;

- le sélénium.

Micro-nutrition et métabolisme des hormones

Il est possible, grâce à l'alimentation, d'influencer le métabolisme des hormones, en particulier les hormones sexuelles, qui sont principalement impliquées dans la genèse de nombreux cancers, mais aussi d'autres pathologies chroniques ou dégénératives.

Ainsi, le carbinol, contenu dans les choux, et l'un de ses dérivés, le DIM (di-indolylméthane), favorisent le métabolisme des œstrogènes vers une hormone dérivée protectrice, le 2-méthoxy-œstrone, qui a une action anti-cancéreuse et anti-angiogénique. Pour être efficace, cette voie métabolique a également besoin d'une bonne méthylation, donc d'un apport suffisant en vitamines du groupe B (carence à rechercher et corriger).

Les personnes qui ont du mal à consommer du chou quotidiennement peuvent se procurer des gélules contenant du carbinol ou du DIM.

En l'absence de carbinol, le métabolisme se fait par contre vers des dérivés à action œstrogénique, qui ont un potentiel cancérigène reconnu.

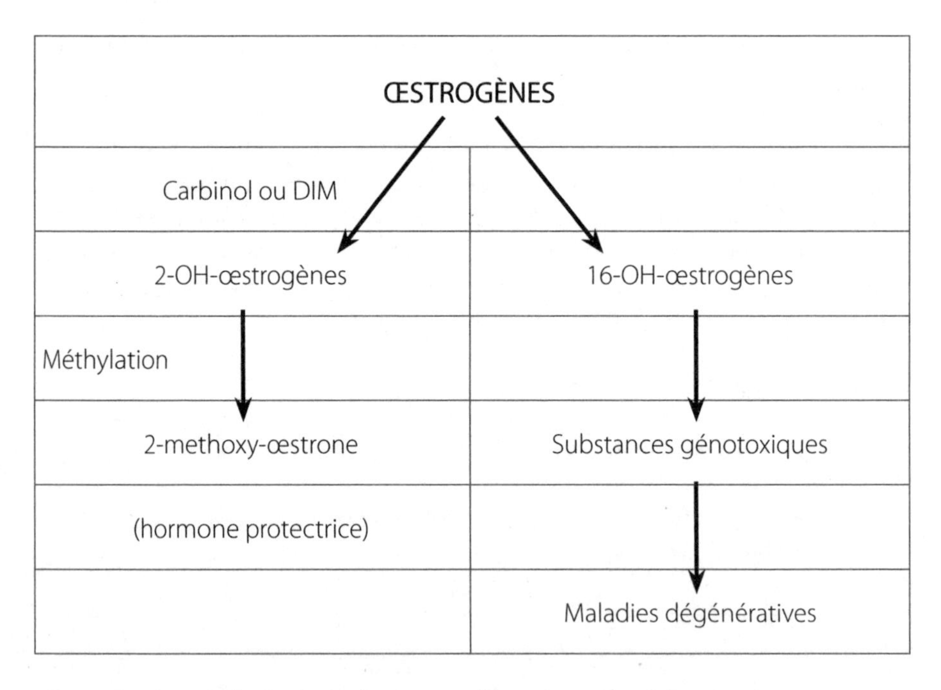

Figure 26 : Le métabolisme des hormones dépend aussi de l'alimentation...

Un climat d'hyper-œstrogénie (excès d'œstrogènes par rapport à la progestérone) est extrêmement fréquent chez la femme, et prédispose aux problèmes mammaires, ovariens et utérins.

Le traitement classique (et logique) consiste à apporter de la progestérone. Mais un résultat identique peut être obtenu grâce à la prise d'une à deux gélules de DIM par jour, comme j'ai pu le constater chez de nombreuses patientes. Et des études ont montré une réduction du risque des cancers hormono-dépendants (en particulier sein et prostate) grâce à un apport régulier et suffisant d'extraits de chou.

Phytothérapie et flavonoïdes

Lors de l'étude du stress oxydant, nous avons introduit la notion de phytothérapie. La plupart des substances végétales qui possèdent une action protectrice pour les cellules appartiennent à la famille des polyphénols, en particulier les flavonoïdes. Plusieurs milliers de molécules différentes ont été isolées, en voici les principales.

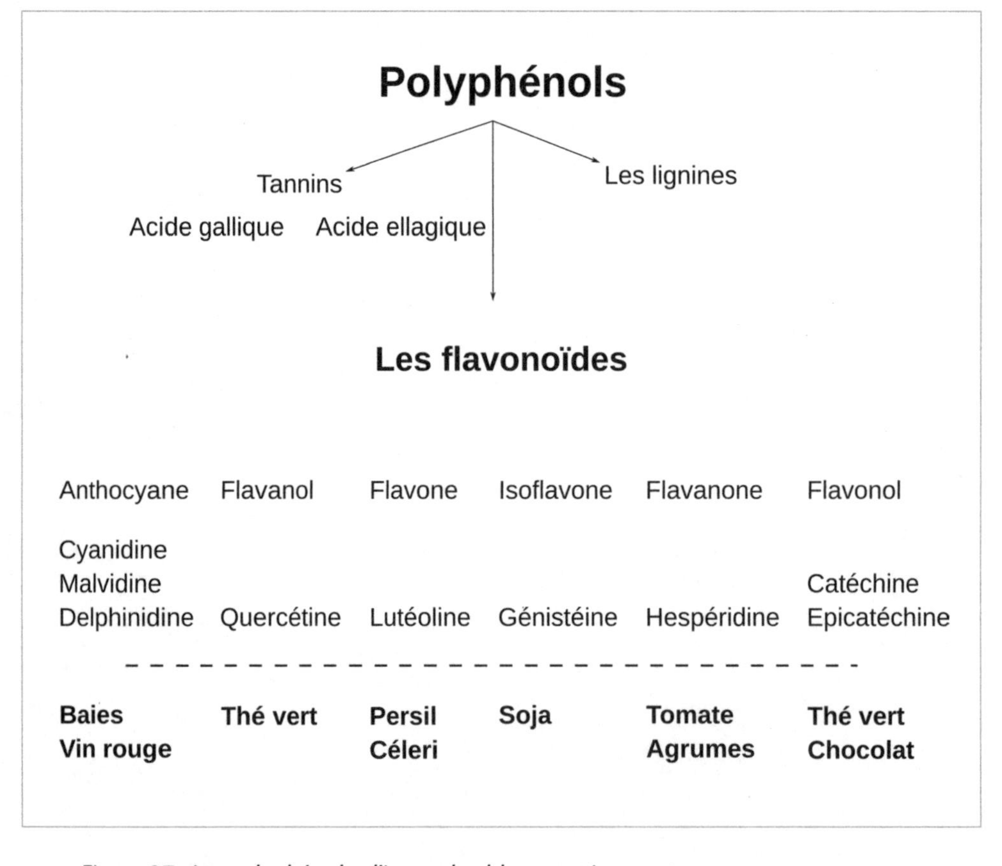

Figure 27 - Les polyphénols, d'innombrables « nutricaments »

Chaque substance possède des actions spécifiques : anti-oxydante, anti-inflammatoire, anti-cancéreuse et autres, par différents mécanismes. Il est donc très utile de les associer dans nos assiettes : chacun d'entre nous a ainsi la possibilité de bénéficier quotidiennement d'une véritable poly-chimiothérapie, de façon illimitée, sans avoir à en craindre les effets secondaires, ni l'apparition de résistances !!! Nous retrouvons ici les vertus de la phytothérapie, un art millénaire largement tombé dans l'oubli mais qui permet d'apporter des substances efficaces à faible coût et sans risques, si elle est proposée par un professionnel… ou un « connaisseur » : des milliers de plantes médicinales ont été recensées au fil des siècles et à travers le monde, mais un grand nombre reste méconnu chez nous, et risque d'ailleurs de disparaître à jamais, emporté par la destruction de la biodiversité…

Un exemple de « cocktail de polyphénols » particulièrement protecteur est proposé en annexe (« Aliments protecteurs et phytothérapie », p. 182).

J'insisterai plus particulièrement sur deux substances vedettes en cancérologie.

Le curcuma

Le curcuma est une plante dont on utilise les rhizomes comme épice.

La substance active est la curcumine. Par son action anti-inflammatoire puissante, elle combat les effets néfastes de l'inflammation chronique, en particulier les processus de cancérisation.

L'action anti-angiogénique qui en résulte ralentit la croissance de la tumeur primitive et de ses métastases.

La curcumine possède également un effet anti-oxydant et détoxifiant.

Enfin, il est intéressant de noter qu'elle potentialiserait l'action de certaines chimiothérapies. Plus de 150 publications médicales ont été consacrées à l'intérêt du curcuma en cancérologie, et des études se poursuivent sur son intérêt en prévention des tumeurs malignes.

Pour bénéficier des bienfaits du curcuma à titre préventif, il est conseillé d'en consommer une cuiller à café par jour, accompagnée d'un peu de poivre noir pour le rendre assimilable. Pour une action « curative », il faut absorber 1 à 2 g de curcumine par jour, ce qui correspond alors à trois ou quatre cuillers à soupe d'épice ! Il est dans ce cas plus facile de prendre des gélules fortement dosées : par exemple, Dolupérine®

dosée à 300 mg : 4 à 6 gélules pendant les chimiothérapies. Un article sur le curcuma est disponible sur le site de l'Association Ressource du Dr Mouysset.

La recherche pharmaceutique sur la curcumine est très active.

Le thé vert

Il contient du gallo-épi-catéchine-gallate, ou GECG, ainsi que de la théanine.

Les principaux effets du GECG sont :

- anti-inflammatoire ;
- anti-angiogénique ;
- anti-oxydant ;
- détoxifiant.

De plus, il possède une action particulièrement intéressante en cancérologie : il limite le risque d'apparition d'une résistance aux drogues de chimiothérapies (en bloquant la pompe P-gP qui permet aux cellules cancéreuses de rejeter ces drogues). La dose utile en cas de cancer est d'une dizaine de tasses par jour, en laissant infuser le thé pendant plusieurs minutes (ou en gélules, 2 g par jour environ).

À ce sujet, il est important de préciser que de nombreux traitements anticancéreux agissent par oxydation des cellules tumorales. Il convient donc d'éviter certains anti-oxydants lors des séances de radiothérapie et de chimiothérapie.

Mais ce n'est pas le cas du thé vert (ni du curcuma), et l'on compte déjà des centaines de publications consacrées à l'intérêt de ces plantes en cancérologie.

La théanine est un acide aminé peu répandu dans la nature, qui favorise au niveau cérébral une réduction du niveau de stress psychologique et produit un effet relaxant (par augmentation de la concentration de sérotonine et de dopamine).

Il ne faut pas la confondre avec la théine (également présente dans le thé vert), qui contient de la caféine, et dont l'effet est inverse ; certaines personnes peuvent donc être gênées par des insomnies si elles consomment le thé trop tard dans l'après-midi.

Les autres substances « anti-cancéreuses »

Elles sont innombrables : resvératrol du raisin, carbinol des choux, génistéine du soja, pour n'en citer que quelques-unes. Je renvoie le lecteur intéressé aux nombreux ouvrages publiés sur le sujet, dont les principaux sont cités en bibliographie.

Le travail le plus récent et le plus documenté sur le sujet est le livre de John Boik (voir annexe bibliographique).

L'équilibre micro-nutritionnel au quotidien

Quelques règles simples doivent nous guider :

- Consommons régulièrement des fruits et légumes crus, car la cuisson détruit de nombreux oligo-éléments. Il est indispensable de bien mastiquer pour extraire les micro-nutriments de l'intérieur des cellules végétales !

- Choisissons des aliments non raffinés : farines, sucre, sel, etc. : alors que les produits naturels sont riches en micro-nutriments, les produits raffinés n'en contiennent pratiquement pas !

- Évitons les fortes cuissons ;

- Varions notre régime alimentaire, afin d'être sûrs de couvrir nos besoins.

Les fruits et légumes « bio » sont « nutritionnellement » meilleurs (environ 30 % de vitamines en plus), mais aussi 20 à 30 % plus chers. Cependant, cette différence de prix diminuera avec l'augmentation de la demande par les consommateurs.

Voici quelques exemples d'aliments riches en vitamines et oligo-éléments :

- vitamine A : aliments riches en béta-carotène, soit la plupart des fruits et légumes colorés ;

- vitamine D : huiles de poisson, soleil ;

- vitamine E : huile de germe de blé ;

- sélénium : noix du Brésil ;

- anti-oxydants : épices, fruits secs, etc.

Certains de ces aliments sont assez chers, mais la quantité nécessaire est faible au quotidien.

Une « Encyclopédie des aliments » indiquant la richesse de chaque aliment en oligo-éléments et vitamines est disponible sur un site Internet très complet et de grande qualité scientifique, doté d'un index alphabétique très pratique : http://www.passeportsante.net (rubrique « Nutrition », puis « Encyclopédie des aliments », onglet « Fiche complète »).

Le recours à des compléments alimentaires n'est donc utile que pour corriger une forte carence, et uniquement sur la base de dosages sanguins. La prise de compléments alimentaires « à l'aveugle » est à proscrire.

En cas de carences profondes et multiples, il importe de rechercher une hyper-perméabilité (porosité) intestinale, source de mal-absorption. Il est alors inutile de vouloir corriger ces carences par des apports intensifs, il faut d'abord rétablir la paroi intestinale (lorsque le moteur de votre voiture perd de l'huile, il est préférable de traiter la cause, plutôt que de refaire le niveau sans cesse !).

Ce qu'il faut retenir :

Notre alimentation moderne, à base de produits raffinés et chauffés, est de plus en plus carencée.

Il en découle des perturbations parfois graves des différents métabolismes fondamentaux, ce qui affaiblit les moyens de défense de nos organismes. Nous devons réintroduire des aliments naturels et variés dans nos assiettes !

Le recours à une supplémentation en micro-nutriments ne doit se faire que sous le contrôle d'un professionnel de la santé.

Pour en savoir plus :

Mitochondries et stress oxydant

Les mitochondries méritent que l'on s'y attarde : ce sont, en quelque sorte, de microscopiques « centrales nucléaires » contenues dans nos cellules, qui assurent la production de l'énergie nécessaire au fonctionnement de tout notre organisme.

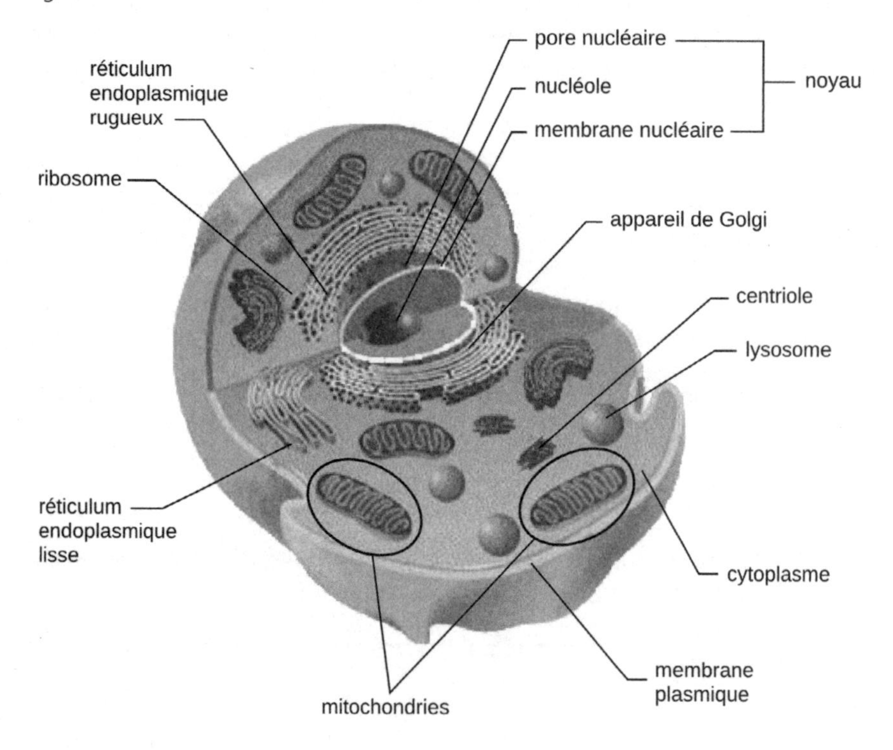

Figure 28 - La cellule et ses mitochondries

Laurent Schwartz, médecin radiothérapeute à l'hôpital de la Pitié-Salpétrière, retrace leur histoire passionnante dans son livre, Le principe de vie. *Ces corpuscules proviennent du parasitisme, il y a 2 à 3 milliards d'années, des cellules de certains organismes par des bactéries spécialisées. Les premières cellules vivantes ne savaient produire de l'énergie que de façon anaérobie, c'est-à-dire sans nécessiter la présence d'oxygène. Mais leur rendement énergétique était assez médiocre.*

Or, certaines bactéries ont développé, au fil de l'évolution, la capacité de produire de l'énergie en brûlant les sucres en présence d'oxygène. C'est ce que l'on appelle le métabolisme aérobie, qui permet un rendement énergétique dix-huit fois plus élevé qu'en l'absence d'oxygène !

En parasitant les cellules des organismes primitifs durant le précambrien, ces super-bactéries sont devenues des organites qui ont su se rendre indispensables, et que l'on appelle désormais les mitochondries. Elles ont apporté leur savoir-faire pour la production d'énergie en présence d'oxygène, les cellules hôtes se chargeant en échange d'apporter le glucose à ces anciennes bactéries. (Ces mitochondries ont conservé de leur origine bactérienne leur propre ADN, qui diffère de celui contenu dans les noyaux des cellules).

Il est intéressant de noter que, lors du processus de cancérisation, les cellules reviennent à un métabolisme primitif (anaérobie), hautement consommateur de glucose. Les médecins utilisent d'ailleurs cette caractéristique pour localiser les tumeurs, grâce à un examen appelé PET-scan (ou TEP en français : tomographie par émission de positons), qui est une scintigraphie au glucose marqué.

La combustion du combustible cellulaire (issu des glucides, lipides et protides) dans les mitochondries fait intervenir des transferts d'électrons.

Il existe, lors du fonctionnement cellulaire normal, une production d'électrons libres : même avec des mitochondries très « performantes » (ces performances étant déterminées génétiquement...), environ 5 % des électrons s'échappent de ces « mini centrales nucléaires ».

Ces électrons libres, très réactifs, vont alors s'associer à des petites molécules pour former des radicaux libres : tout d'abord les molécules de dioxygène O_2°, fortement oxydantes.

Afin de protéger les structures biologiques environnantes, la nature a dû « inventer » des mécanismes de protection qui font intervenir deux enzymes (voir schéma page suivante).

- La super-oxyde dismutase (SOD) va prendre en charge $O_2°$ pour aboutir à la formation d'eau oxygénée (H_2O_2).
- Puis une autre enzyme, la glutathion peroxydase (GPX), transformera l'eau oxygénée en eau (H_2O).
- En cas d'insuffisance de GPX, l'eau oxygénée donnera spontanément le radical OH°, extrêmement oxydant. C'est la réaction de Fenton, favorisée par la présence de fer.

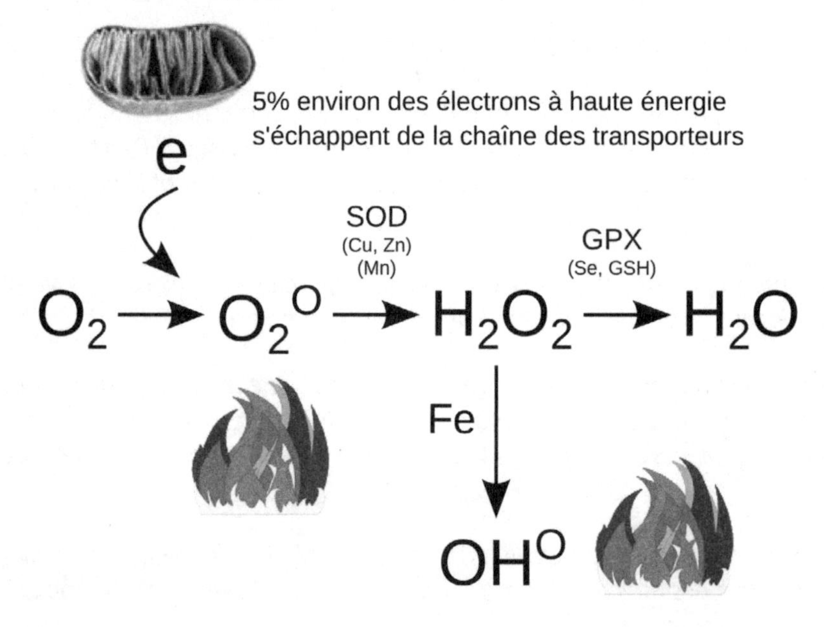

Figure 29 - Les mitochondries, sources de radicaux libres.

SOD et GPX n'agissent qu'en présence de certains ions métalliques : cuivre, zinc, sélénium...

Un déficit en enzymes, une carence en zinc ou sélénium, un excès de fer conduiront ainsi à l'accumulation de radicaux libres ($O_2°$, et surtout OH°, encore plus réactif), et aboutiront à un stress oxydant pour les cellules.

Ce passage un peu technique permet de comprendre qu'il est possible d'évaluer le niveau de stress oxydant grâce à des dosages biologiques : SOD et GPX, mais aussi le coenzyme Q10, le fer, le cuivre, le zinc, le sélénium, les vitamines A, C et E, etc. Les éventuelles carences ou excès seront alors corrigés.

En réalité, le stress oxydatif est très difficile à mesurer précisement, un laboratoire à Grenoble s'est spécialisé dans ce domaine, mais les recommandations pratiques qui en découlent sont encore controversées.

Chapitre

5

Synthèse et conclusion : vers une « écologie nutritionnelle »

Synthèse

Au terme de cette étude, nous pouvons résumer les principales acquisitions scientifiques (et pratiques) qui permettent de définir aujourd'hui une alimentation saine.

Il y a une cinquantaine d'années, le **Dr Catherine Kousmine** fut une remarquable pionnière, en proposant une méthode basée sur quatre « piliers » que l'on redécouvre aujourd'hui :

- une alimentation physiologique et équilibrée ;
- une bonne hygiène intestinale ;
- un apport suffisant en vitamines et oligo-éléments ;
- un bon équilibre acide-base.

Quelques années plus tard, **Jean Seignalet** a introduit la notion fondamentale et révolutionnaire d'**intolérance alimentaire**, encore très largement méconnue.

Très récemment, le **Dr David Servan-Schreiber** a précisé les fondements d'une alimentation « physiologique et équilibrée » : importance des acides gras protecteurs, nocivité des sucres rapides ; il a montré le rôle protecteur de nombreux aliments.

Le **Pr Vincent Castronovo** a précisé la place de la micro-nutrition : vitamines, oligo-éléments, notion de stress oxydant, etc.

Les dosages biologiques permettent aujourd'hui de personnaliser les corrections de nos troubles nutritionnels, tout en diminuant les contraintes : mise en évidence de déséquilibres macro-nutritionnels grâce au profil des acides gras, recherche de carences micro-nutritionnelles, authentification des intolérances alimentaires, etc., même si des progrès restent à faire.

La majorité d'entre nous cumule, depuis des années, les effets d'erreurs alimentaires méconnues ; mais il n'est jamais trop tard pour les corriger, grâce à cinq grandes règles.

Trois sont valables pour tout le monde :

1. privilégier les aliments à index glycémique bas (les « sucres lents ») ;

2. éviter les graisses toxiques, et augmenter ses apports en acides gras protecteurs, en particulier les oméga 3 ;

3. consommer des aliments riches en oligo-éléments et en substances protectrices : fruits et légumes crus ou peu cuits, épices...

Les deux règles suivantes sont à personnaliser selon les individus (les dosages biologiques sont souvent nécessaires) :

1. rechercher une intolérance alimentaire et/ou un déséquilibre de la flore intestinale, et la traiter ;

2. détecter d'éventuelles carences en vitamines, oligo-éléments et autres substances protectrices.

Ces quelques règles simples permettront à chacun de réduire très fortement les risques de maladies graves ou invalidantes, et de limiter les effets du vieillissement. Et si vous conservez un doute sur la qualité nutritionnelle d'un aliment, demandez-vous s'il faisait partie de la nourriture habituelle des hommes préhistoriques : si tel est le cas, il n'y a pas de problème !

Grâce aux quelques recommandations simples ci-dessus, chacun peut avoir l'assurance de conserver – ou de retrouver – son poids de « meilleure santé » ; en cas de surpoids, la perte des kilos superflus sera progressive, et se stabilisera tout naturellement. Certains de mes patients s'inquiètent même de cette perte de poids, s'ils n'ont pas été prévenus ! Mais il faut être patient : la perte de poids est en moyenne d'un kilo par mois...

Quelques questions-réponses

Sommes-nous tous concernés par la « malbouffe » ?

En Occident, la réponse est « **OUI** », assurément, mais à des degrés variables ; reprenons la fréquence des déséquilibres envisagés dans cet ouvrage :

- les intolérances et l'hyper-perméabilité intestinale : environ 30 % de la population, mais cette incidence est encore très mal connue ;
- les déséquilibres en acides gras : probablement proches de 100 % (mais à des degrés variables) !
- les différentes carences : sans doute près de 100 % des Occidentaux présentent également une ou plusieurs carences !

Mais ces déséquilibres ne sont pas une fatalité, comme nous le confirment aujourd'hui encore les habitants d'Okinawa ; les proportions ci-dessus y sont certainement proches de 0 % !

Manger « bio », est-ce bien manger ?

C'est assurément un « plus » en ce qui concerne les fruits et légumes : richesse en micro-nutriments, présence moindre en pesticides.

C'est également important pour les produits d'origine animale : la viande, les œufs, les produits laitiers issus de cette filière sont plus équilibrés en acides gras. Mais d'autres approches sont intéressantes, comme le logo « bleu-blanc-cœur », les œufs de poules élevées au grain, etc.

Mais il est surtout **important de comprendre que le label « bio » n'est pas la garantie suffisante d'une alimentation équilibrée**. Il ne doit pas conduire à négliger les règles d'une bonne alimentation. Pour reprendre la boutade du Dr Yann Rougier, consommer du sucre « bio » en excès conduira à un « diabète bio », mais il s'agira d'une véritable maladie diabétique quand même !!!

De même, il est scandaleux de constater que la majorité des biscuits « bio » contiennent de l'huile de palme ou même des graisses hydrogénées ! Les publicitaires poussent même le vice jusqu'à en faire un argument de vente : « contient de l'huile de palme bio » !!!

Il faut enfin se méfier des effets de mode : l'épeautre peut sembler plus naturel que le blé, mais seul le petit épeautre correspond au blé primitif, et contient très peu de gluten. Le grand épeautre est un blé moderne, pas mieux toléré que le froment.

Des fiches pratiques sont consacrées aux thèmes de l'alimentation saine (p. 169 à 173).

Le lait, le soja sont-ils bons pour la santé ?

Depuis quelques années, le lait fait l'objet d'un débat, parfois passionné, sur ses avantages et ses risques potentiels. Ses qualités et ses défauts sont exposés dans une fiche annexe (p. 186-187).

Le soja n'était pas, jusqu'à présent, une nourriture habituelle pour les Occidentaux. Mais il s'agit d'une source économique de protéines, et l'on en trouve désormais partout (dans les plats cuisinés ou les steaks hachés par exemple). L'un des problèmes du soja est que les variétés transgéniques sont très répandues, et qu'il est souvent impossible de savoir l'origine des graines utilisées. Or je constate de plus en plus fréquemment des intolérances au soja sur les bilans que je fais réaliser.

L'autre problème est lié au mode de préparation des graines : seul le soja fermenté est facilement digeste, comme dans le tofu. Mais qu'en est-il de celui utilisé dans les préparations industrielles ?

La question spécifique de la consommation de soja se pose en cas de cancer hormono-dépendant (sein et prostate essentiellement). Les recommandations officielles interdisent sa consommation, ce qui est sage pour les formes concentrées (gélules), mais plusieurs publications ont montré un effet protecteur de la consommation de produits alimentaires contenant du soja sur le risque de récidive…

Des cures de « détoxication » sont-elles utiles ?

Ces cures sont très à la mode, mais peuvent varier dans leurs modalités :

périodes de jeûne, cures de légumes crus, etc. À ma connaissance, il n'existe aucune étude irréfutable sur le sujet. Il est certain que l'organisme accumule au fil du temps des molécules inassimilables, mais leur élimination au quotidien semble plus logique que sur une courte période de cure. L'exercice physique, des plantes « détoxifiantes » quotidiennes ou saisonnières (radis noir…) aideront à s'en débarrasser. Et, bien entendu, il est encore plus efficace d'en absorber le moins possible !

Je renvoie le lecteur à la fiche pratique sur la détoxication hépatique présentée en annexe (p. 180).

Qu'est-ce que la « chrono-nutrition » ?

Le principe de ce « régime » à la mode est le suivant : chaque type d'aliment doit être consommé en respectant l'horloge biologique de notre corps. Pour être en pleine forme (et même perdre du poids), il serait conseillé de manger :

- plutôt gras le matin (fromage, œufs, charcuterie, pain) ;
- « lourd » le midi (viande et féculents) ;
- sucré l'après-midi (chocolat et gras végétal : noix, noisettes, fruits) ;
- léger le soir (poisson, légumes).

Je n'ai pas d'expérience sur l'efficacité de ce régime, mais les conseils ci-dessus ne doivent pas remettre en cause les grands principes détaillés jusqu'à présent : détecter une éventuelle intolérance avant tout, éviter les charcuteries et la viande en excès, privilégier les sucres lents, etc.

Régime sans polyamines et cancers

Ce sujet concerne plus spécifiquement un type d'alimentation développé pour des patients présentant des cancers évolutifs ou des syndromes douloureux chroniques.

Les polyamines sont de petites molécules très répandues, présentes en quantités variables dans toutes les cellules, et donc tous les aliments. Mais elles sont également synthétisées par les cellules de l'organisme, et par les bactéries intestinales.

Le Pr J.-P. Moulinoux, du Centre hospitalier de Rennes, travaille depuis près de 30 ans sur ces molécules. Il a pu montrer qu'elles constituent des facteurs de croissance pour toutes les cellules, y compris des cellules cancéreuses. Logiquement, il a donc proposé de diminuer les apports en polyamines pour retarder l'évolution des cancers.

Pour abaisser efficacement le taux de polyamines dans les tissus, il est possible d'agir à trois niveaux :

- par une baisse des apports : l'équipe du Pr Moulinoux a établi une classification des aliments en fonction de leur richesse en polyamines ;
- par diminution de leur production par les bactéries intestinales : certains antibiotiques ont une action intestinale pure, car ils ne sont pas absorbés par l'organisme ;
- par baisse de la fabrication endogène : il existe des inhibiteurs de la synthèse des polyamines, comme le DFMO. Malheureusement, il est actuellement très difficile de s'en procurer, car sa fabrication est pour l'instant suspendue…

Des molécules proches des polyamines naturelles ont été étudiées pour leurrer les cellules cancéreuses : elles prennent la place des véritables polyamines, mais sont dépourvues d'action stimulante. Des résultats encourageants ont été obtenus in vitro.

Après avoir eu recours à ces différents moyens, l'équipe du Pr Moulinoux a développé, avec l'aide d'un laboratoire (Nutrialys), des aliments totalement dépourvus de polyamines. Ils sont disponibles depuis 2007 sous forme de canettes avec différents parfums, et sont partiellement remboursés par la sécurité sociale (les mutuelles médicales remboursant habituellement le complément). Il existe actuellement des aliments liquides et semi-liquides.

Le Pr Moulinoux a montré, par ailleurs, qu'une alimentation pauvre en polyamines possédait deux autres actions intéressantes en cancérologie : un effet immuno-stimulant, et un effet parfois puissant contre la douleur.

Cette action antalgique n'est d'ailleurs pas spécifique des pathologies cancéreuses : des résultats intéressants ont été obtenus pour des douleurs d'origines variées.

Quelle est la place de ce régime appauvri en polyamines face aux cancers ?

Les aliments pauvres en polyamines sont très différents de ceux qui ont des vertus anti-cancéreuses : par exemple, la plupart des choux sont riches en polyamines... Il est donc très difficile de suivre en parallèle tous les régimes alimentaires...

Le Pr Moulinoux propose donc le régime sans polyamines au stade de tumeur évolutive, notamment en cours de chimiothérapie. Des études ont déjà été réalisées, d'autres sont actuellement en cours, en particulier pour des cancers de la prostate, avec des résultats encourageants.

À un stade avancé de la maladie, l'effet antalgique peut être précieux.

Face à un cancer, différentes recommandations nutritionnelles peuvent être faites :

- à un stade initial (diagnostic), et surtout en cas de poussée évolutive, une courte période d'alimentation pauvre en protéines peut être proposée, pour « affamer » la tumeur ;
- en complément d'une chimiothérapie, l'alimentation appauvrie en polyamines permet souvent une meilleure tolérance du traitement, et améliore probablement son efficacité ;
- en fin de chimiothérapie, le protocole de restauration de la barrière intestinale est souvent nécessaire ;
- à tous les stades de la maladie, les conseils nutritionnels généraux restent de mise : remplacer les aliments toxiques par les bons sucres et les bonnes graisses, consommer des produits riches en vitamines, oligo-éléments et flavonoïdes, éviter les fortes cuissons.

Écologie et mondialisation

Jean Seignalet n'était pas seulement un précurseur pour son approche des maladies, il était également en avance sur son temps dans le domaine de l'écologie : à une époque encore récente où les adeptes du développement durable étaient considérés comme des originaux, il avait déjà recensé les grands défis qui se présentent à nous aujourd'hui.

De fait, il existe des liens nombreux et étroits entre l'hygiène alimentaire et l'écologie ; nous ne citerons que les principaux.

Nous avons déjà abordé le risque d'intolérance alimentaire lié aux OGM consommés par l'homme, mais d'autres répercussions sont à craindre sur toutes les espèces vivantes, du fait de la modification des écosystèmes. Elles sont néanmoins difficiles à mesurer à court terme.

Nous avons également parlé de la préservation des ressources naturelles : en effet, à chaque étape de la chaîne alimentaire, le « rendement énergétique » n'est que de 10 %. Ceci signifie qu'il faut dix kilos d'herbe pour « fabriquer » un kilo d'herbivore... Cette règle est également valable pour les poissons : il est possible de nourrir dix fois plus d'individus en pêchant des sardines plutôt que du thon, par exemple, et plus encore en consommant les formes de vie primitives : certains pays d'Afrique parviennent à résoudre leur problème de ressource alimentaire grâce à une algue microscopique, la spiruline, très riche en protéines !

Ne pas acheter les gros poissons protège donc les ressources halieutiques, et diminue également l'ingestion de produits toxiques : les polluants contenus dans chaque proie consommée sont également concentrés d'un facteur dix par chaque prédateur. Ceux qui se trouvent en bout de chaîne (par exemple, les ours polaires, pour les poissons... et l'homme, le plus grand carnivore !) sont donc les plus intoxiqués...

La production d'huile de palme est un autre exemple des liens entre écologie et nutrition : la demande ayant augmenté de façon considérable en raison du développement des aliments préparés de façon industrielle, de nombreux pays ont investi massivement dans sa production, comme l'île de Bornéo, au prix d'une déforestation dramatique pour la biodiversité.

Depuis peu, un nouveau mode de consommation écologique émerge, prôné par ceux que l'on appelle les « locavores ». Il s'agit de personnes qui ont fait le choix de se nourrir des produits du terroir, et donc de saison. Cette attitude répond en priorité à une logique de diminution du recours aux transports et à leur pollution, mais il existe un bénéfice annexe, qui est de consommer des produits mieux adaptés à notre patrimoine enzymatique.

Et le recours aux produits de saison garantit probablement un apport adapté à notre physiologie. Plusieurs civilisations recommandent d'ailleurs de respecter cette alimentation saisonnière.

Dans le même ordre d'idée, la diminution de la consommation de viande est une attitude hautement écologique (en plus de ses avantages nutritionnels) : sans entrer dans les détails, l'élevage est source de nombreuses pollutions : lors de la production et du transport des aliments pour le bétail, puis lors de la digestion des herbivores, source de méthane (un gaz à effet de serre élevé), pour le transport de la viande après l'abattage, etc.

La pollution liée à l'industrie agro-alimentaire est un domaine sur lequel le Pr Belpomme s'est beaucoup engagé. Il faut rendre ici hommage au courage de ce cancérologue, qui a été l'un des premiers à prendre officiellement position sur ce sujet, au mépris des attaques dont il a été l'objet de la part de nombre de ses collègues. Il a ainsi été à l'origine de « L'Appel de Paris » du 7 mai 2004, qui est une déclaration internationale sur les dangers de la pollution chimique; puis du « Mémorandum de l'Appel de Paris (2006) », qui détaille les solutions techniques pour lutter contre les effets toxiques des polluants. Plusieurs publications récentes commencent à lui donner raison.

Sans trop s'éloigner de l'alimentation, évoquons les bienfaits d'un exercice physique régulier (marche, natation, vélo, etc.), pour l'organisme mais aussi pour la planète, comparés aux transports motorisés. Le vélo (électrique, au besoin) devrait s'imposer progressivement comme une réponse logique à ces deux défis : lutte contre la sédentarité et écologie.

Conclusion

« Si l'on peut distinguer trois variétés de médecine (classique, non conventionnelle et diététique), il ne faut pas les opposer. **Un bon praticien doit faire appel à la méthode qui lui paraît la meilleure pour traiter une maladie précise chez un malade précis. Parfois, plusieurs méthodes devront être associées.** »

Jean Seignalet

L'alimentation ou la Troisième Médecine (5e édition)

Je souhaite insister une fois encore sur le fait que **la connaissance des mécanismes responsables des maladies permet de s'en préserver efficacement**.

Les maladies dégénératives dépendent (dans des proportions variables selon les individus) de la conjonction de trois facteurs principaux : génétiques, environnementaux (alimentation et polluants), et mentaux : stress et émotions.

Les règles diététiques abordées tout au long de ce livre permettront à chacun de diminuer les risques liés à l'environnement nutritionnel. C'est ce que font, sans le savoir, les habitants d'Okinawa depuis des millénaires.

Pour autant, je suis persuadé que nous ne sommes encore qu'à l'aube de cette révolution alimentaire : il reste un travail considérable à effectuer pour préciser l'ensemble des points évoqués tout au long de ce livre. Pour cette raison, je conseille aux lecteurs intéressés de consulter de temps en temps le site Internet qui prolonge ce livre : www.docteur-michel-lallement.com. Il est probable que l'on pourra identifier, dans un avenir proche, des individus à « haut risque nutritionnel » de maladie chronique ou dégénérative, de même qu'il existe des personnes à haut risque génétique pour telle ou telle maladie. Je pense principalement aux situations d'hyper-perméabilité intestinale, dont certaines sont légères ou passagères, et d'autres profondes et durables.

Doit-on faire preuve d'optimisme ou de pessimisme sur notre capacité à changer nos comportements alimentaires ?

Il existe malheureusement de nombreuses raisons de douter : malgré un recul de 50 ans sur la connaissance des risques liés au tabac, nous ne pouvons que constater la progression du tabagisme, en particulier chez les plus jeunes (à ce sujet, les jeunes filles auraient pu choisir un autre symbole que la cigarette pour revendiquer l'égalité des sexes ! Le nombre de cancers du poumon « attendus » chez les femmes ces prochaines années est dramatique…).

Ceci traduit la difficulté, pour les adolescents, de se projeter dans l'avenir, d'avoir une vision à long terme : pour eux, cette projection ne dépasse pas quelques jours ! **C'est dommage, car il est plus facile de ne pas commencer à fumer que d'arrêter…**

La comparaison avec le tabac ne s'arrête malheureusement pas là. La nourriture peut également être responsable d'une véritable addiction, une dépendance entretenue par les industriels de l'agro-alimentaire : les substances en cause, à l'instar de la nicotine, sont les exhausteurs de goût, les arômes artificiels, souvent irrésistibles ! C'est également le sucre, qui crée assez rapidement une addiction dont il est difficile de se défaire…

Afin d'inciter à la « détoxication alimentaire », il est donc indispensable de trouver les arguments adaptés à chaque âge : un adolescent sera moins sensible à un risque lointain d'infarctus qu'à l'espoir de voir disparaître rapidement son acné ou ses caries dentaires, par exemple.

Un autre écueil viendra de la confiance parfois exagérée dans la médecine contemporaine : un exemple caricatural est fourni par les médicaments prescrits contre l'excès de cholestérol : ils donnent à certains patients une telle bonne conscience que ceux-ci s'autorisent à consommer des aliments tout à fait déconseillés, alors que le médicament ne devrait être qu'un complément très ponctuel et non systématique d'un régime adapté ! (et ne parlons pas des nombreux effets secondaires liés au traitement !)

Il existe bien d'autres difficultés, que nous avons déjà évoquées : problèmes liés au manque de temps, aux considérations économiques, au développement des OGM, etc.

Heureusement, d'autres indicateurs permettent d'être plus optimistes : ainsi, le « bon sens populaire » est-il un allié précieux. La majorité de mes patients et de leurs accompagnants sont réceptifs à la prise en charge du « terrain » : « Enfin quelqu'un qui s'intéresse à cet aspect de la maladie ! ».

Il existera aussi probablement un « phénomène d'entraînement », comme cela s'est passé pour l'écologie : il y a encore quelques années, le respect de l'environnement ne préoccupait que quelques « marginaux » ; il s'agit aujourd'hui d'une grande cause internationale ! Souhaitons qu'il en soit de même pour l'« écologie nutritionnelle »...

À long terme, la principale raison d'espérer sera d'ordre économique ! La prévention des maladies est infiniment moins coûteuse que leur traitement, et il s'agit à l'évidence de la seule façon de sauver notre système de sécurité sociale, tellement envié mais dont le gouffre ne cesse de se creuser !

En effet, le déficit de la sécurité sociale ne peut que s'aggraver, car nous avons vu que la fréquence de nombreuses maladies est en constante augmentation, en particulier les pathologies chroniques, sources de soins et de traitements de plus en plus coûteux et prolongés.

Prenons quelques exemples :

Pour les cancers, les traitements ont fait – et feront demain encore – des progrès indéniables : la chirurgie est de plus en plus souvent associée à des techniques de reconstruction, la radiothérapie devient toujours plus précise, les traitements médicaux s'enrichissent chaque semaine de nouvelles molécules, en particulier les thérapies ciblées. Mais ces progrès ont un double coût : l'un, immédiat, tient au prix des traitements eux-mêmes (parfois exorbitants...) ; l'autre, indirect, provient de l'allongement de la durée de vie qui en résulte.

Pour la maladie d'Alzheimer, si les traitements actuels ne sont pas très coûteux, il n'en va pas de même des structures d'accueil nécessaires.

Les traitements destinés à combattre l'excès de cholestérol ont coûté un milliard d'euros à la sécurité sociale en 2007, alors que l'innocuité et même l'efficacité de ces médicaments (en particulier les statines) restent discutées (voir à ce sujet de nombreux livres, dont celui de Michel de Lorgeril : *Dites à votre médecin que le cholestérol est innocent, il vous soignera sans médicament*). Or, il est évident que la prévention et le traitement des maladies métaboliques passent avant tout par l'hygiène alimentaire. Cette approche est à la fois beaucoup plus logique (elle s'attaque aux causes des maladies), sans effets secondaires (mais avec, au contraire, des effets bénéfiques sur l'état de santé global), et pour un coût quasiment nul.

Ainsi, nous nous trouvons aujourd'hui devant un paradoxe qui ne saurait durer : les examens « classiques » réalisés pour des pathologies « fonctionnelles » (celles du questionnaire MSQ) sont pris en charge par la sécurité sociale, alors qu'ils s'avèrent le plus souvent inutiles dans ces situations (biologie, imagerie, endoscopies, etc.). Par contre, la recherche d'une intolérance alimentaire ou d'une intoxication aux métaux lourds n'est pas remboursée, alors qu'il s'agit des causes les plus fréquentes de ces maladies. Nous disposons désormais de suffisamment d'arguments pour suggérer la réalisation d'enquêtes épidémiologiques simples et peu coûteuses par des organismes indépendants afin de confirmer définitivement le rôle de ces états pathogènes : des recherches d'intolérances et d'intoxications aux métaux lourds chez quelques centaines de sujets présentant les maladies déjà citées permettraient de confirmer définitivement ce lien, ainsi que j'ai pu l'établir moi-même pour nombre de mes patients.

Nous avons donc aujourd'hui les moyens de développer rapidement une médecine préventive efficace, que le Pr Luc Montagnier évoque et appelle de ses vœux dans son dernier livre : *Les combats de la vie*. Comme souvent, ce ne sont pas les moyens financiers qui manquent, mais leur répartition... Et il est utile de préciser que plusieurs pays reconnaissent depuis longtemps la responsabilité des intolérances alimentaires dans les pathologies chroniques : Belgique, Espagne, Italie, Allemagne...

Les mutuelles médicales ont un rôle précurseur à jouer dans ce domaine, en favorisant les comportements préventifs de leurs adhérents. Je laisse aux spécialistes de la gestion des risques le soin de calculer les économies qui pourraient être ainsi générées : pour quelques dizaines d'euros de bilans annuels, il est possible d'éviter de très nombreuses maladies dont la prise en charge médicale et sociale coûte plusieurs milliers d'euros par an, et souvent à vie...

Comme ultime conclusion, je souhaite donc insister sur la notion de **médecine étiologique** proposée tout au long de ces pages, c'est-à-dire une médecine qui s'acharne à rechercher les causes des symptômes et des maladies, pour leur opposer un traitement ciblé. J'espère que ce concept trouvera un large écho, parmi les patients, leurs médecins et les organismes en charge de la santé publique...

Chapitre 6
Annexes

Les 10 commandements pour une alimentation saine

1. **Varier** le plus possible son alimentation, avec des **produits locaux et de saison** de préférence.

2. Privilégier les aliments à **index glycémique bas** (les « sucres lents » – voir tableaux p. 200-203).

3. **Éviter les graisses toxiques**, et augmenter ses apports en acides gras protecteurs, en particulier les oméga 3.

4. **Rechercher** (grâce aux questionnaires en annexe, p. 192 à 195) **un état de porosité intestinale** et/ou un déséquilibre de la flore, et le traiter (voir fiche p. 174-175).

5. **Assurer un apport suffisant en vitamines, oligo-éléments** et autres substances protectrices (voir fiche p. 182-183).

6. **Veiller à l'équilibre acide-base** de son organisme (voir fiche p. 181).

7. **Éviter les cuissons excessives** (voir fiche p. 184-185).

8. **Éviter les polluants** : pesticides, métaux lourds, précurseurs hormonaux, etc. Pour cela, ne pas cuisiner dans des récipients en plastique ou en métal, préférer le verre, la céramique.

9. Prendre soin de son **hygiène de vie** : activité physique, gestion du stress. Éviter le tabac, l'alcool et les excitants en excès.

10. Réaliser une **détoxication régulière** de son organisme (voir fiche p. 180).

Ces quelques règles simples permettront à chacun de réduire considérablement ses risques de très nombreuses maladies, mais aussi de conserver une qualité de vie la meilleure possible : énergies physique, intellectuelle et psychique.

Il s'agit donc également d'un véritable programme « anti-âge » !

Quelques conseils pour une alimentation saine

Voici quelques exemples d'aliments particulièrement toxiques, et d'aliments-santé qui les remplaceront avantageusement.

	aliments « toxiques » :	à remplacer par :
petit déjeuner	viennoiseries, pain blanc, pâtes à tartiner	pain complet, beurre, chocolat 70 %, œuf…
en-cas	sodas barres industrielles	tisanes « détox » noix, fruits secs…
apéritif	chips, cacahuètes… alcools, sodas	amandes, olives… jus de fruit, de tomate…
entrée	charcuterie industrielle, pizza…	avocat, salades composées, soupes…
plats	frites, riz précuit plats industriels viandes rouges	légumes variés plats cuisinés traditionnels poissons gras, viandes blanches, œufs « bio », crustacés…
desserts	pâtisseries industrielles	fruits variés

Des centaines de livres de recettes vous permettront de varier à l'infini vos repas-santé. Quelques titres sont mentionnés dans la bibliographie, et certains tiennent compte d'éventuelles intolérances alimentaires : au lait et au blé, en particulier.

Bien manger ne coûte pas plus cher !

Les aliments bons pour la santé ne sont pas les plus chers.

Beaucoup de **fruits et légumes** restent accessibles :

- Les légumineuses (lentilles, haricots), ainsi que les choux, poireaux, navets, etc., sont d'excellents aliments-santé. Les pommes de terre cuites à la vapeur peuvent être consommées de temps en temps (2 à 3 fois par semaine).

- Les fruits restent abordables si l'on choisit ceux de saison : pommes, oranges, prunes, etc. Les fruits secs (pruneaux, raisins, etc.) ne doivent pas être oubliés.

- Les fruits et légumes surgelés, prêts à l'emploi, règlent grandement le problème du manque de temps ; de plus, ils sont particulièrement riches en vitamines et oligo-éléments (souvent plus que les légumes frais !).

La viande est chère, mais les besoins quotidiens restent faibles : les végétariens ont une espérance de vie supérieure à celle des carnivores !

Les poissons sont réputés chers, ce qui est globalement vrai, mais les meilleurs sur le plan nutritionnel sont également les moins chers (et les moins pollués) : essentiellement les sardines et les maquereaux, que l'on trouve sous de nombreuses formes.

Il est très important de préciser que le **prix au kilo** d'un aliment ne reflète pas son coût réel : le prix de la « calorie efficace » serait plus instructif. En effet, les aliments réputés bon marché (pain, pommes de terre, pâtes alimentaires) apportent souvent des **« calories vides »**, comme disent les nutritionnistes, c'est-à-dire des substances absorbées rapidement, qui ont davantage tendance à être stockées que brûlées (nous retrouvons ici les sucres rapides).

D'autre part, la prise de poids qui résulte de la consommation de ces aliments augmente à son tour fortement les besoins alimentaires ! Une alimentation équilibrée (faite de sucres lents et de graisses non toxiques) permet de réduire progressivement ses besoins caloriques, et donc le budget pour se nourrir.

Une alimentation saine et équilibrée est donc économique !

Les produits « bio »

Certains aliments issus de l'agriculture biologique sont nettement préférables :

- C'est surtout le cas pour les produits d'origine animale : la viande, les œufs, les produits laitiers sont plus équilibrés en acides gras lorsqu'ils sont issus de la filière « bio » ou « bleu-blanc-cœur ».
- C'est également un « plus » en ce qui concerne les fruits et légumes : ils sont plus riches en micro-nutriments et contiennent moins de pesticides.

Mais n'oublions pas que **le label « bio » n'est pas la garantie suffisante d'une alimentation équilibrée** : de nombreux produits « bio » contiennent de l'huile de palme ou même des graisses hydrogénées !

Voici quelques conseils d'aliments à consommer quotidiennement ou régulièrement, pour un prix accessible :

- une quinzaine de noix, noisettes ou amandes par jour, mélangés à volonté avec d'autres fruits secs ;
- tous les choux (selon saison) et les légumineuses à volonté ;
- les légumes surgelés pour varier les plaisirs ;
- les sardines et maquereaux préparés de toutes les façons ;
- sans oublier d'y associer, au jour le jour, des aliments consommés pour le plaisir !

L'hyper-perméabilité (ou « porosité ») intestinale

(Pour les détails et commentaires, se reporter au chapitre 2).

Diagnostic d'un état de porosité intestinale

Il se base sur deux questionnaires (en annexe, p. 192-195) :

- le questionnaire MSQ : un score supérieur à 40 ou 50 est pathologique ;
- les antécédents médicaux : certaines maladies sont évocatrices de ces états de porosité intestinale.

En cas de suspicion, des tests d'intolérance alimentaire peuvent être réalisés pour confirmer le diagnostic.

Traitement de l'état de porosité intestinale

1 - Évitez, durant quelques semaines, les aliments prédisposants :

- le lait et ses dérivés (fromages, yaourts, crèmes, beurre...) ;
- les produits à base de blé, et plus généralement toutes les céréales ;
- les tomates crues, les poireaux, les fraises, les prunes, la vanille (quasi systématique dans le chocolat, par exemple).

Durant cette période, il est préférable de préparer soi-même ses repas, car les protéines de lait, de blés, d'œufs sont très répandues dans les aliments industriels.

2 – Restaurez votre flore intestinale.

- Luttez contre l'**acidité intestinale** (source de levure, en particulier les candidoses – voir p. 68).
- Évitez la **flore de putréfaction**, en diminuant votre consommation de viande.
- Consommez des **prébiotiques** : ils se trouvent en priorité dans les végétaux, en particulier les légumes cuits.

- Durant les 10 premiers jours du protocole, absorbez 2 cuillers à café par jour de **charbon actif**, à distance des repas.
- Les jours suivants, prenez des **probiotiques** : il en existe une grande variété, il n'y a pas un produit idéal, il est préférable d'en changer de temps en temps.

3 – **Restaurez votre barrière intestinale.**

- Un apport suffisant en **acides gras oméga 3** est indispensable : consommez une quinzaine de noix (de toutes variétés), noisettes ou amandes par jour.
- L-glutamine : 0,5 g par jour, sous forme de poudre ou de gélule.
- Certaines tisanes sont particulièrement efficaces :
  - Infusion d'achillée (½ c. à c.) + ortie (½ c. à c.) + souci (1 c. à c.) + camomille allemande (matricaire, ½ c. à c.) : infusés dans un bol d'eau chaude 2 minutes maximum. Buvez tiède, une tasse vers 10 h et une vers 16 h.
  - Acore odorant : faites macérer une cuiller à café toute la nuit dans un grand bol d'eau froide ; le matin, filtrez, faites tiédir et buvez 2 petites gorgées avant et après chaque repas, soit 6 fois par jour.
- Prenez une ampoule de manganèse « oligo » au réveil, et une ampoule de soufre « oligo » au coucher.

Après quelques semaines d'exclusion, il est possible de consommer à nouveau de tout, mais en évitant le plus possible les aliments industriels. En cas de réintroduction trop précoce ou trop abondante, les symptômes qui avaient disparus se réactivent brutalement.

Certaines personnes conserveront néanmoins une fragilité intestinale toute leur vie, ce qui les obligera à reprendre régulièrement des probiotiques, des tisanes, du charbon, en fonction des symptômes qu'elles apprendront à reconnaître.

Traitement des causes de l'hyper-perméabilité intestinale

- Vérifiez l'absence d'intoxication aux métaux lourds (voir p. 176-177)
- Apprenez à gérer le stress : yoga, relaxation, etc.

L'intoxication par les métaux lourds

(d'après le livre de Françoise Cambayrac, *Vérités sur les maladies émergentes*).

Les principaux métaux toxiques et leurs origines

- mercure : amalgames dentaires (encore parfaitement autorisés en France, interdits aux États-Unis), poissons (surtout les plus gros : raie, espadon, thon, flétan…), ampoules à économie d'énergie, médicaments, etc.
- plomb : peintures, air ambiant…
- aluminium : déodorants, matériel de cuisson (cocottes, barquettes, films), certains vaccins…
- argent : amalgames dentaires, carafes filtrantes, soudure…
- cadmium : fruits de mer (moules, huîtres, coquillages…), récipients en inox…
- or : couronnes dentaires.

Diagnostic et traitement de l'intoxication aux métaux lourds

Les conséquences de l'intoxication sont très variables selon les individus, en fonction de leur capacité propre d'élimination.

L'intoxication est cumulative : les doses s'accumulent avec les années, l'élimination spontanée est lente.

Les symptômes principaux sont : neuro-musculaires (fatigue, maux de tête, troubles du sommeil, douleurs chroniques…), immunitaires (allergies, infections à répétition, maladies auto-immunes…), cutanéo-muqueux, etc.

Une intolérance alimentaire aux produits laitiers et aux céréales (blé en particulier) accompagne très souvent l'intoxication.

Le diagnostic d'intoxication aux métaux lourds ne peut être confirmé que par un dosage urinaire après test de chélation réalisés par un médecin habitué et avec un laboratoire spécialisé. Les autres dosages (sanguin, sur les cheveux, dans les selles, etc.) n'ont aucune valeur.

Le traitement doit d'abord faire appel à la chélation (« capture » des métaux lourds par une substance spécifique), réalisée par un médecin formé. Une chélation mal réalisée peut aggraver l'intoxication.

Le retrait des amalgames dentaires ne doit pas être systématique, et ne doit être réalisé, en cas de nécessité, qu'après chélation et par un dentiste formé selon une procédure très stricte.

La prévention est fondamentale

- éviter les produits contenant les métaux lourds : soins dentaires, nourriture, déodorants, etc.
- éviter les chewing-gums, la mastication entraîne, par la salive, les métaux lourds présents en bouche vers l'intestin ;
- faire une chélation douce et continue par du charbon actif : une cuiller à soupe le soir au coucher, une semaine par mois « à vie », permet d'augmenter l'élimination naturelle des métaux lourds, et aide également à restaurer une flore intestinale saine.

« Bons sucres » et « mauvais sucres »

La **qualité** des sucres de notre alimentation est beaucoup plus importante à considérer que leur **quantité**.

- Les « **bons sucres** » sont les sucres lents.
- Les « **mauvais sucres** » sont les sucres rapides.
- Les aliments sucrés ne représentent qu'une faible part de nos apports en sucres rapides.

Le raffinage et la cuisson modifient la vitesse d'assimilation des aliments ; il est donc important de se référer aux **tableaux des index glycémiques** joints en annexe (p. 200-203).

Il faut privilégier les aliments ayant un index bas, mais il n'y a pas de seuil précis : l'index moyen de nos repas doit dépendre de notre activité physique, et d'un besoin éventuel de perdre du poids. Une moyenne se situe aux alentours de 50. Un excès ponctuel n'a pas de conséquence, par contre un index moyen trop élevé sur une longue période conduira inévitablement à une prise de poids (surtout abdominale) et à une inflammation de l'organisme, prédisposant aux maladies dégénératives.

Quelques exemples :

- les aliments à base de farines blanches (raffinées), extrêmement répandus (pain, pizzas, viennoiseries, biscuits) doivent être remplacés le plus possible par des farines complètes ou semi-complètes (« bio » de préférence, car l'enveloppe des graines de céréales concentre les pesticides) ;
- les aliments précuits (riz) sont des sucres très rapides ;
- les aliments industriels contiennent très souvent, outre des farines raffinées, du sirop de glucose, qui est le sucre rapide par excellence ;
- l'alcool peut être assimilé à un sucre très rapide, il doit être consommé avec modération (un verre de vin par jour pour une femme, deux verres quotidiens pour un homme), pendant les repas.

« Bonnes graisses » et « mauvaises graisses »

Comme pour les sucres, la **qualité** des graisses de notre alimentation est beaucoup plus importante à considérer que leur **quantité**.

Les « **bonnes graisses** » proviennent des **aliments naturels** non transformés : oléagineux (noix, olives...), huiles extraites à froid. Certains oléagineux doivent cependant être évités, notamment les arachides.

Comme pour les sucres, les « **mauvaises graisses** » correspondent à tous les **corps gras transformés** (par extraction chimique, chauffage, cuisson, ou conservation trop prolongée).

Toxicité à froid	Non chauffées	Toxicité si chauffées
++++ (ont déjà été chauffées)	graisses hydrogénées	++++
+++	acide palmitique	+++
++	acides gras saturés : viandes, beurre...	++
+	acides gras mono-insaturés	++
+	oméga 6 en excès	+++
protectrices	oméga 6 sans excès	+++
protectrices	oméga 3	+++

REMARQUE IMPORTANTE : il ne suffit pas d'absorber des « oméga 3 » (naturels ou sous forme de compléments) **pour compenser une consommation excessive de « mauvaises graisses » !**

La détoxication de l'organisme

- La prévention de l'intoxication est évidemment l'approche la plus logique : diminuer l'apport de pesticides par des produits « bio », éviter l'exposition aux métaux lourds (voir fiche p. 176), et ne pas oublier que les principales substances toxiques pour l'organisme sont : le tabac, l'alcool et… certains médicaments pris au long cours !
- Hormis les apports exogènes, liés à l'environnement, le contenu du tube digestif est la principale source endogène de toxines. La fiche sur la porosité intestinale (p. 174) résume les points importants d'une bonne hygiène alimentaire : restauration d'une flore physiologique, équilibrage du pH, recherche d'intolérances. Il faut également chercher à réguler son transit, grâce à un apport suffisant de fibres (fruits et légumes) et de liquides (1,5 l/j en moyenne), en évitant si possible l'eau en bouteilles plastiques. Le charbon actif aide à éliminer les toxines intestinales et à rééquilibrer la flore.
- Le foie est l'organe qui reçoit directement (par la veine porte) le sang du tube digestif. Son rôle de détoxication est donc irremplaçable ; sa capacité est importante, mais pas illimitée ! Pour l'aider dans cette fonction, il faut lui assurer des apports suffisants en vitamines (surtout du groupe B) et oligo-éléments. Certaines substances naturelles sont également efficaces, en particulier : le radis noir (une cure de 3 semaines à chaque changement de saison), l'artichaut, le boldo, l'aloe vera, etc.
- La détoxication par les reins impose avant tout une hydratation suffisante, répartie dans la journée. Certaines plantes sont inté-ressantes : reine-després, fenouil, grande consoude, chicorée sauvage, etc.
- L'activité physique modérée, réalisée régulièrement (15 à 30 mn par jour), est une excellente méthode de détoxication, car elle augmente l'élimination des toxines par la peau (transpiration), favorise l'oxygénation des tissus et mobilise les substances contenues dans le tissu adipeux.
- Le jeûne peut trouver ici sa place : comme l'exercice physique, il permet de brûler les graisses accumulées et de libérer les toxines stockées à leur niveau. Mais ces périodes de jeûne doivent être encadrées par un médecin qui en a l'expérience.

L'équilibre acide-base au quotidien

Le caractère acide ou basique d'une substance se définit et se mesure grâce au potentiel hydrogène, ou pH. Il dépend de la concentration en ions H+, et varie de 1 (acidité maximale) à 14 (basicité ou alcalinité maximale). **Le pH neutre est égal à 7**.

Il est facile d'estimer le niveau d'acidité de notre organisme par la mesure (avec un **simple rouleau de papier pH**, disponible dans toutes les pharmacies) de notre pH urinaire. Des mesures répétées sur plusieurs jours sont nécessaires. Un pH trop acide (inférieur à 7) doit conduire à une alcalinisation, un pH trop alcalin, beaucoup plus rare, peut nécessiter une acidification.

L'équilibre acido-basique de notre organisme dépend essentiellement de deux grandes fonctions :

- **La respiration** : par l'intermédiaire du gaz carbonique, précurseur des ions bicarbonate. Une respiration rapide et superficielle est responsable d'une acidification des tissus, une respiration lente et profonde permet de corriger cette acidose.

- **L'alimentation** :

  – Il existe des aliments responsables d'une acidification du milieu intestinal : tous les **corps gras** (composés d'**acides** gras), la plupart des **protéines animales** (composées d'**acides** aminés), le **sucre** et les **céréales raffinées**, tous les **sodas** et eaux **gazeuses**.

  – D'autres aliments sont alcalinisants : la quasi-totalité des **fruits et légumes, crus ou cuits** (à l'exception des tomates et des fruits rouges), toutes les **épices et les herbes aromatiques** : fenouil, anis, cumin, etc.

Un milieu intérieur acide se manifeste par la plupart des symptômes du questionnaire MSQ, dont ils sont en partie responsables : fatigue, fragilité des muqueuses, etc.

Au stade de maladie chronique inflammatoire déclarée, l'acidose est systématique ; elle doit être combattue sans relâche par des exercices respiratoires et des aliments adaptés.

Les compléments alimentaires et la phytothérapie au quotidien

1 – Les compléments alimentaires.

Normalement, notre alimentation devrait nous fournir les vitamines et oligo-éléments dont nous avons besoin. **Cette source naturelle évite en outre le plus souvent les surdosages, contrairement à un apport sous forme de compléments, et a le mérite de ne rien coûter.**

Mais la généralisation des produits raffinés et l'appauvrissement des sols ont conduit à des carences quasi-systématiques. Un état de porosité intestinale est également une cause fréquente de carences multiples.

Les substances les plus souvent concernées, et dont les carences sont les plus néfastes, sont les suivantes :

- La vitamine D : son rôle physiologique est fondamental. Toute carence doit être recherchée et corrigée. La meilleure prévention consiste à s'exposer régulièrement au soleil et à absorber de la vitamine D naturelle, par exemple sous forme d'huile de foie de morue : une gélule par jour, 10 jours par mois.

- Le magnésium : sa carence est également extrêmement répandue. Les aliments qui en contiennent beaucoup sont : le chocolat, les noix et amandes, les haricots, les lentilles.

- Les vitamines du groupe B sont également souvent concernées par les carences, que l'on peut objectiver par un dosage sanguin de l'homocystéine. Elles peuvent être apportées par la levure de bière.

- Le sélénium et le zinc sont souvent en quantités insuffisantes dans notre alimentation, il faut donc en apporter davantage (huîtres, noix, en particulier du Brésil), d'autant que les surdosages sont exceptionnels.

Il faut par contre éviter les prises systématiques de certains compléments : ceci est notamment établi pour la vitamine A, la vitamine E, le cuivre et le fer.

2 – Aliments protecteurs et phytothérapie.

Là encore, il faut privilégier les apports naturels. À titre d'exemple, voici l'apport quotidien recommandé de quelques produits riches en polyphénols et autres micro-nutriments :

Choux de Bruxelles	1/2 tasse
Brocoli	1/2 tasse
Ail	2 gousses
Oignon / Échalotte	1/2 tasse
Épinard / Cresson	1/2 tasse
Soja	1/2 tasse
Concentré de tomates	1 c. à soupe
Curcuma	1 c. à café
Poivre noir	1 c. à café
Framboises / Mûres	1/2 tasse
Raisin	1/2 tasse
Chocolat noir (70 %)	40 g
Noix, Noisettes, Amandes	15 à 20 / j.
Thé vert	3 fois 250 ml
Vin rouge	1 verre
Épices et Herbes aromatiques	1 c. à soupe

Mais il ne s'agit que de quelques exemples ; chaque plante possède ses vertus, d'où l'intérêt de varier son alimentation.

Insistons sur le fait qu'**une quinzaine de noix par jour** couvre en grande partie nos besoins en acides gras oméga 3, en anti-oxydants, en calcium et en de nombreux oligo-éléments. Ces aliments gras ne nous feront pas grossir, et ils s'opposent même à l'excès de cholestérol.

Chauffage et cuisson des aliments

La cuisson des aliments est relativement récente dans l'histoire de l'alimentation humaine : environ 10 000 ans. Elle a permis de rendre comestibles de nombreux végétaux (céréales, pommes de terre, légumineuses).

Mais elle est également à l'origine de transformations néfastes ou toxiques des aliments :

- La chaleur intense transforme les sucres lents en sucres rapides, et **augmente** donc **l'index glycémique** des aliments.
- Les graisses sont d'autant plus altérées par les hautes températures qu'elles sont insaturées. Leur chauffage aboutit à la formation de substances toxiques, en particulier les acides gras « trans ». Chaque huile est caractérisée par une température critique, ou « point de fumage », au-delà de laquelle se forment des composés toxiques. Si l'huile fume, ou si elle mousse, il faut la jeter ! Ainsi, les corps gras riches en oméga 3 et 6 sont-ils particulièrement fragiles, et doivent- ils être réservés à l'assaisonnement (même en cas de mention con-traire sur leur emballage...). **Pour la cuisson, il faut donc se résoudre à utiliser des graisses saturées (beurre, huile de tournesol), en gardant à l'esprit qu'elles sont pro-inflammatoires.**
- Les protéines sont également fragiles, surtout celles d'origine animale. Leur chauffage favorise les **risques d'intolérances** à ces produits (laits UHT).
- La cuisson provoque la **destruction de nombreuses vitamines**.
- Le chauffage excessif est à l'origine de substances non assimilables : les **molécules de Maillard**, dont certaines sont particulièrement toxiques, comme l'acrylamide.

Les seuils de température à l'origine des modifications ci-dessus varient, de même que la sensibilité des aliments à la chaleur : il est donc difficile de fixer une température de cuisson à ne pas dépasser. Mais il est préférable de chauffer le moins possible (pas au-delà de 150 °C), la durée de cuisson étant également à prendre en considération.

À titre d'exemple, la cuisson à la vapeur ne dépasse pas 100 °C (110 °C à la cocotte-minute), le four est souvent utilisé entre 150 et 210 °C, la friture atteint 250 °C.

Une mise en garde spécifique concerne l'utilisation des fours à micro-ondes, car les transformations moléculaires y sont plus importantes (et plus violentes). En particulier, l'usage de récipients en plastique dans ces fours serait source de dioxines et de précurseurs hormonaux cancérigènes. Gardons-les si besoin pour réchauffer les aliments (à faible puissance), mais plus jamais pour cuire ou décongeler rapidement.

Le lait est-il bon pour la santé ?

Ses points forts

- Sa richesse en calcium constitue le principal argument commercial. Mais le tableau ci-dessous montre que de nombreux aliments sont également très riches en calcium. Certains fromages obtiennent un taux maximal grâce à une concentration de la matière sèche du lait.
- L'existence de probiotiques dans certains laitages (en particulier les yaourts) peuvent aider à restaurer la flore intestinale (à condition, bien sûr, qu'il n'y ait pas d'intolérance au lait !). Cela explique sans doute l'effet protecteur du lait vis-à-vis du risque de cancer du côlon. Néanmoins, il existe depuis peu une polémique sur la qualité de ces probiotiques : ils seraient accusés de favoriser une prise de poids…
- le petit-lait a des vertus anti-cancéreuses intéressantes : il s'agit du liquide obtenu après décantation du lait entier ; il contient des substances qui stimulent la production de glutathion, un anti-oxydant majeur.

ALIMENTS	CALCIUM (en mg / 100 g)
Fromages à pâte ferme	750
Chou vert	400
Amandes, noix, noisettes, soja	200 à 250
Fruits séchés	80 à 180
Légumes secs	80 à 160
Poissons	60
Œufs	50
Viandes	10

Ses points faibles

- Les laits actuels sont fortement déséquilibrés en acides gras ; il faut donc privilégier ceux issus des animaux de pâturage.
- Nous avons largement insisté sur la fréquence des intolérances aux produits laitiers, notamment pasteurisés.
- Le lait contient des facteurs de croissance (naturels, mais aussi parfois ajoutés par les éleveurs) qui ont pour effet de faire prendre à un veau plus de 100 kg en un an ! Chez l'homme, ces substances ont été accusées de favoriser l'obésité, en particulier infantile ; elles expliqueraient l'augmentation de taille et de poids moyen constatées en quelques générations. Et ces facteurs de croissance ne sont pas les bienvenus en cas de pathologie cancéreuse…
- De même, l'existence d'hormones et de précurseurs hormonaux dans le lait est évoquée pour expliquer l'augmentation de fréquence des cancers hormono-dépendants, en particulier le cancer de la prostate.
- Les produits d'origine animale contiennent également de très nombreuses substances chimiques : antibiotiques, etc.
- Enfin, le lait possède un index glycémique bas, mais il stimule directement la sécrétion d'insuline, avec les conséquences inflammatoires qui en découlent.

En résumé : le lait n'est pas un aliment naturel, en dehors du lait maternel durant les premiers mois de vie. Du lait (de vache ou d'autres espèces animales), de préférence « bio », peut être consommé en petite quantité en l'absence d'intolérance. Son exclusion ne prédispose pas à l'ostéoporose, à condition de consommer suffisamment d'autres aliments riches en calcium, et surtout de la vitamine D naturelle.

Programme nutritionnel en préparation et après une intervention chirurgicale pour cancer

A – Avant l'intervention

Ce protocole a pour but de diminuer l'inflammation péri-tumorale, en la privant de protéines. Il est donc particulièrement recommandé pour des tumeurs évoluées : volumineuses ou inflammatoires, et à condition que le patient ne présente pas de dénutrition (si tel est le cas, il faut utiliser les aliments pauvres en polyamines : voir fiche sur la chimiothérapie p. 190).

Durant ces jours de préparation, l'organisme ne souffrira pas de carences car il possède des réserves protéiques, mais la tumeur et les phénomènes inflammatoires, principaux consommateurs d'acides aminés, seront rationnés.

Si vous ne disposez pas de 15 jours avant l'intervention, il est néanmoins préférable de suivre ce protocole même durant quelques jours.

1. Durant les 15 jours qui précèdent l'intervention, consommez le moins possible de viandes, charcuteries, poissons, œufs.

2. Privilégiez les sucres lents (voir tableau des index glycémiques p. 200).

3. Consommez des aliments riches en oméga 3, de préférence sous forme de noix, noisettes ou amandes non salées, non fumées (une quinzaine par jour). Évitez les acides gras pro-inflammatoires : surtout les graisses hydrogénées et l'huile de palme.

4. Luttez contre l'acidité des tissus : préférez les aliments basiques, évitez les sodas (y compris « *light* ») et les eaux gazeuses. À la fin du repas de midi, vous pouvez prendre une cuiller à café de bicarbonate de soude.

5. Refaites vos stocks de vitamines et oligo-éléments : en priorité la vitamine D naturelle, le zinc, le magnésium (idéalement, D Stress® des laboratoires Synergia : 1 comprimé au cours de chaque repas). Évitez le cuivre, la vitamine B12, les épices.

B - Après l'intervention

Une fois la tumeur retirée, il faut au contraire apporter à l'organisme tous les éléments nécessaires à une bonne cicatrisation.

1. Consommez beaucoup de protéines, en particulier des petits poissons gras (sardines et maquereaux), des œufs classe 0 ou 1, des protéines végétales : légumineuses (lentilles, haricots, fèves).

2. Privilégiez toujours les sucres lents, mais de façon moins stricte.

3. Continuez à consommer (à vie !) une quinzaine de noix, noisettes ou amandes non salées, non fumées par jour. Les noix du Brésil (ou noix d'Amazonie) couvrent en outre les besoins en sélénium. Évitez les « mauvais » acides gras : d'une façon générale, tous les aliments industriels : margarines, charcuteries, biscuits, etc.

4. La lutte contre l'acidité tissulaire reste utile.

5. Pour les apports en vitamines et oligo-éléments , reportez-vous aux conseils de la fiche correspondante

Programme nutritionnel avant, pendant et après une chimiothérapie anti-cancéreuse

A – Avant la chimiothérapie

Des études préliminaires, initiées par un chercheur américain (Valter Longo) ont montré les bénéfices d'une courte période de jeûne sur la tolérance et peut-être même l'efficacité des traitements anti-cancéreux. Dans l'attente des résultats définitifs de ces travaux, une diète de 3 jours (la veille, le jour du traitement et le lendemain) se limitant à des boissons (non sucrées !) et des oligo-éléments ne présente pas de danger et semble donc améliorer l'efficacité et la tolérance des chimiothérapies.

B – Pendant la chimiothérapie

1. Si la chimiothérapie n'a aucune répercussion sur votre système digestif, vous pouvez manger de tout en respectant les grands principes d'une alimentation saine : préférence pour une nourriture variée, riche en sucres lents, acides gras protecteurs et oligo-éléments.

2. Le thé vert peut diminuer le phénomène de résistance aux drogues de chimiothérapie : boire 6 à 10 tasses par jour de thé vert (de préférence le matin, thé de bonne qualité, à infuser 10 mn), ou prendre 3 gélules (à 250 mg d'EGCG) par jour. Le curcuma, à la dose de 1 à 2 g par jour, est également utile.

3. En cas de nausées et/ou vomissements, il est conseillé de :

   - consommer des aliments cuits et mixés : soupes, purées, viandes blanches hachées, etc. ;

   - faire plusieurs petits repas par jour ;

   - favoriser la digestion grâce à des enzymes, par exemple le Régulat®, disponible en magasin spécialisés ou sur Internet ;

- apporter des vitamines et oligo-éléments : en priorité la vitamine D naturelle, le zinc, le magnésium (idéalement, sous forme de glycérophosphate : D Stress® des laboratoires Synergia : 1 comprimé au cours de chaque repas). Éviter le cuivre, la vitamine B12 ;

- régénérer la muqueuse intestinale en assurant un bon apport en oméga 3 : huile de colza, de lin, de noix, poissons gras…, ou sous forme de gélules. Prendre également 15 à 20 g de L-glutamine par jour ;

- aider à la détoxication par le foie (voir fiche p. 180).

4. Des compléments alimentaires ont été développés spécifiquement pour leur action anti-cancéreuse (voir chapitre sur les polyamines, p.157), et sont tout à fait indiqués en accompagnement de toute chimiothérapie, surtout en cas de nausées et vomissements importants.

Je propose à mes patients de se nourrir principalement ou exclusivement de canettes ou crèmes Castase® lors des périodes de nausées, et de consommer des aliments pauvres en polyamines le reste du temps (selon la liste fournie en même temps que les canettes).

C – Après la chimiothérapie

La majorité des drogues de chimiothérapie ont une toxicité sur les cellules directement liée à leur rapidité de division, les cellules cancéreuses étant censées avoir le temps de doublement le plus court. Mais les cellules intestinales sont également très actives : la muqueuse se renouvelle complètement en 4 à 6 jours, ce qui explique qu'elle est particulièrement sensible aux chimiothérapies anti-cancéreuses. **Il est donc important de la restaurer, ainsi que sa flore.**

Un mois après la dernière cure (pour laisser au taux de globules blancs le temps de remonter), il est utile de prendre du charbon actif (une cuiller à soupe rase le soir au coucher dans de l'eau tiède ou avec une compote) pendant une dizaine de jours, puis des prébiotiques et des probiotiques durant 4 à 6 semaines (voir fiche sur la porosité intestinale p. 174).

Questionnaire de Détoxication (MSQ)

<table>
<tr><td colspan="3">Nom</td><td colspan="3">Date</td></tr>
<tr><td colspan="6">Estimer chacun des symptômes suivants pour les 3 derniers mois</td></tr>
<tr><td colspan="6">0 = « jamais ou presque jamais » ; 1 = « de temps en temps, mais peu intense » ;
2 = « de temps en temps, mais intense » ; 3 = « souvent mais peu intense » ;
4 = « souvent et intense ».</td></tr>
<tr><td rowspan="4">Tête</td><td>Maux de tête</td><td></td><td rowspan="4">Yeux
(n'inclut pas les problèmes de mal-voyance)</td><td>Qui pleurent ou qui chatouillent</td><td></td></tr>
<tr><td>Sensations d'évanouissement</td><td></td><td>Gonflés, paupières rouges ou « collantes »</td><td></td></tr>
<tr><td>Vertiges</td><td></td><td>Poches ou cernes sous les yeux</td><td></td></tr>
<tr><td>Insomnies</td><td></td><td>Vue trouble ou en tunnel</td><td></td></tr>
<tr><td rowspan="4">Oreilles</td><td>Qui démangent / qui chatouillent</td><td></td><td rowspan="4">Poumons</td><td>Sifflements</td><td></td></tr>
<tr><td>Douleurs ou infections</td><td></td><td>Asthme, bronchite</td><td></td></tr>
<tr><td>Écoulement</td><td></td><td>Souffle court</td><td></td></tr>
<tr><td>Acouphènes (bruits dans les oreilles)</td><td></td><td>Difficulté à respirer</td><td></td></tr>
<tr><td rowspan="5">Nez</td><td>Bouché</td><td></td><td rowspan="5">Peau</td><td>Acné</td><td></td></tr>
<tr><td>Problème de sinus</td><td></td><td>Plaques qui chatouillent, éruption, peau sèche</td><td></td></tr>
<tr><td>Rhume des foins</td><td></td><td>Perte de cheveux</td><td></td></tr>
<tr><td>Crises d'éternuement</td><td></td><td>Rougeurs, bouffées de chaleur</td><td></td></tr>
<tr><td>Formation excessive de mucus</td><td></td><td>Transpiration excessive</td><td></td></tr>
<tr><td rowspan="4">Énergie, activité</td><td>Fatigue, mou /molle, lent(e)</td><td></td><td rowspan="4">Émotions</td><td>Colère, irritabilité, agressivité</td><td></td></tr>
<tr><td>Apathie, léthargie</td><td></td><td>Anxiété, peur, nervosité</td><td></td></tr>
<tr><td>Hyperactivité</td><td></td><td>Humeur fluctuante</td><td></td></tr>
<tr><td>Agité(e), tourmenté(e)</td><td></td><td>Dépression</td><td></td></tr>
</table>

(Version imprimable disponible sur mon site : docteur-michel-lallement.com)

Bouche / Gorge	Toux chronique		**Poids**	Envie de manger ou de boire	
	Besoin fréquent de se nettoyer la gorge			Attirance +++ pour certains aliments	
	Maux de gorge, voix enrouée, perte de voix			Poids excessif	
	Gonflement ou modification de couleur de la langue, des gencives ou des lèvres			Compulsion alimentaire	
				Rétention d'eau	
	Aphtes			Poids insuffisant	
Tube digestif	Nausée, vomissement		**Cerveau**	Mauvaise mémoire	
	Diarrhée			Confusion, mauvaise compréhension	
	Constipation			Mauvaise concentration	
	Sensation de ballonnement			Mauvaise coordination physique	
	Éructation, renvois, gaz			Difficulté à prendre des décisions	
	Douleur d'estomac ou intestinale			Bégaiement ou chercher ses mots	
	Brûlures d'estomac			Difficultés d'élocution	
Cœur	Pouls irrégulier / qui « saute »			Difficultés d'apprentissage	
	Qui bat trop vite		**Muscles et articulations**	Douleur dans les articulations	
	Douleur à la poitrine			Arthrite	
Autres	Maladies fréquentes			Raideur ou limitation de mouvement	
	Mictions urinaires fréquentes et urgentes			Douleurs musculaires	
	Démangeaisons génitales ou pertes			Sensation de faiblesse ou de fatigue	
GRAND TOTAL MSQ					

Questionnaire sur les antécédents

Maladies métaboliques	
Surpoids	
Diabète gras (type 2)	
Excès de cholestérol	
Goutte	
Diabète maigre (auto-immun)	
Maladies de système	
Lupus érythémateux disséminé	
Sclérodermie	
Dermatomyosite, polymyosite	
Maladies neurologiques	
Dépression nerveuse	
Migraines vraies	
Neuropathie périphérique	
Sclérose en plaques	
Parkinson	
Alzheimer	
Spasmophilie	
Maladies rhumatologiques	
Arthrose "banale"	
Ostéoporose	
Fibromyalgie	
Polyarthrite rhumatoïde	
Spondylarthrite ankylosante	
Autre rhumatisme inflammatoire	
Maladies thyroïdiennes	
Maladie de Basedow	
Insuffisance thyroïdienne	

Maladies ORL et broncho-pulmonaires	
Asthme	
Bronchite chronique	
Infections ORL récidivantes	
Sinusite chronique, polypes naso-sinusiens	
Rhinite allergique (rhume des foins)	
Maladies gastro-intestinales	
Maladie de Crohn	
Colite, colopathie spasmodique	
Gastrite, dyspepsie	
Reflux gastro-œsophagien	
Lithiases biliaires (calculs dans la vésicule)	
Maladie cœliaque	
Hépatite auto-immune, cirrhose biliaire primitive	
Maladies dermatologiques	
Aphtes buccaux ou génitaux	
Acné sévère	
Eczéma	
Urticaire	
Psoriasis	
Maladies ophtalmologiques	
Conjonctivite allergique	
Glaucome	
Uvéite antérieure aiguë	
Maladies cardio-vasculaires	
Angine de poitrine	
Infarctus	
Artérite des membres inférieurs	

Résultats du régime hypotoxique du Dr Seignalet

Résultats pour les maladies auto-immunes

Maladies	Nbre de malades	Rémissions complètes	Améliorations nettes	Améliorations à 50 %	Échecs	Proportions de succès
Polyarthrite rhumatoïde	297	127	100	18	52	82 % *
Spondylarthrite ankylosante	122	76	40	-	6	95 %
Autres rhumatismes inflammatoires (1)	88	47	16	14	11	76 %*
Gougerot-Sjögren	86	15	11	48	12	86 %*
Lupus érythémateux disséminé	20	10	6	3	1	95 %*
Sclérodermie	14	-	14	-	-	100 %*
Autres connectivites (2)	16	2	8	3	3	81 %*
Maladie de Basedow	9	Pas de rechute, réduction de l'exophtalmie	-	-	-	-
Thyroïdite de Hashimoto	8	-	-	2	6	-
Addison auto-immun	1	1				
Sclérose en plaques	46	13	20	8	1	98 %*
Purpura thrombocytop. idiop.	5	-	-	-	5	-
Hépatite auto-immune	7	7	-	-	-	-
Cirrhose biliaire primitive	6	5	1	-	-	-
Cholangite sclérosante primitive	2	2	-	-	-	-
Néphropathie à IgA	8	Blocage de l'évolution	-	-	-	-
Uvéite antérieure aiguë	14	10	2	-	2	86 %*
Neuropathie périphérique	9	-	4	3	2	-

** Chiffre englobant les améliorations à 50 %*

(1) Autres rhumatismes inflammatoires : rhumatisme psoriasique, pseudo polyarthrite rhizomélique, rhumatisme palindromique, maladie de Still, arthrites chroniques juvéniles

(2) Autres connectivites : dermatomyosite, polymyosite, connectivite mixte, lupus cutané, fascite de Schulman, polychondrite chronique atrophiante

Résultats pour les maladies « d'encrassage »

Maladies	Nb de malades	Rémissions complètes	Améliorations nettes	Améliorations à 50 %	Échecs	Proportions de succès
Arthrose	118	47	52	12	7	94 %*
Ostéoporose	20	-	14 (stabilisation)	-	6	70 %*
Fibromyalgie	80	58	10	4	8	90 %*
Tendinites	17	13	2	-	2	88 %*
Goutte et chondrocalcinose	14	9	4	1	-	100 %*
Migraines	57	41	12	-	4	93 %*
Céphalées de tension	15	11	3	-	1	93 %*
Dépression nerveuse	30	25	5	-	-	100 %*
Maladie d'Alzheimer	-	-	Effet préventif remarquable	-	-	-
Maladie de Parkinson	11	-	7	3	1	91 %*
Surpoids	100	30	21	21	28	72 %*
Diabète sucré de type 2	25	20	-	5	-	100 %*
Hypoglycémie	16	13	-	1	2	87 %*
Hypercholestérolémie	70	-	Abaissement de 35 % du taux de cholestérol	-	-	-
Spasmophilie	52	46	2	1	3	94 %*
Angine de poitrine	15	14	-	1	-	100 %*
Infarctus myocarde (en prévention)	1200		5 infarctus (attendus : 38)			
Dyspepsie	63	62	-	1	-	100 %*
Lithiase biliaire (calculs)	-	-	Effet préventif remarquable	-	-	-
Glaucome	6	3	3	-	-	100 %
Fatigue inexpliquée	10	5	-	3	2	80 %*
Cancers (en prévention)	2500		3 cancers (attendus : 30)			

** Chiffre englobant les améliorations à 50 %*

Résultats pour les maladies « d'élimination »

Maladies	Nb de malades	Rémissions complètes	Améliorations nettes	Améliorations à 50 %	Échecs	Proportions de succès
Colite	237	233	-	-	4	98 %
Rectocolite hémorragique	8	-	-	3	5	37 %
Maladie de Crohn	72	62	2	7	1	99 %*
Gastrite	19	18	-	1	-	100 %*
Reflux gastro-oesophagien	16	6	5	-	5	69 %*
Acné	42	40	2	-	-	100 %*
Eczéma constitutionnel	43	36	4	-	3	93 %*
Urticaire	34	29	5	-	-	100 %*
Psoriasis	72	45	7	8	12	83 %*
Prurit (démangeaisons)	8	7	1	-	-	100 %*
Bronchite chronique	42	39	-	3	-	100 %*
Asthme	85	80	-	3	2	98 %*
Infections ORL récidivantes	100	80	-	-	20	80 %*
Sinusite chronique	50	38	-	8	4	92 %*
Polypes naso-sinusiens	6	6	-	-	-	100 %*
Rhume des foins	75	71	-	2	2	97 %*
Rhinite chronique	63	58	-	3	2	97 %*
Conjonctivite allergique	30	26	1	2	1	97 %*
Œdème de Quincke	27	22	2	2	1	96 %*
Aphtose buccale	14	10	4	1	-	100 %*

* *Chiffre englobant les améliorations à 50 %*

D'après : Association Jean Seignalet.

Les tableaux des index glycémiques

(Version imprimable disponible sur mon site : docteur-michel-lallement.com)

I.G	Pains	Riz	Pommes de terre	I.G
100				100
95			Pommes de terre au four	95
			Pommes de terre frites	
90		Riz glutineux (riz gluant)	Flocons pour purée	90
		Gâteau de riz		
85	Pain hamburger	Riz précuit (10 mn)		85
	Pain de mie	Riz soufflé, galettes de riz		
80			Pommes de terre en purée	80
75	Croissant/Brioche	Riz au lait (sucré)		75
	Pain au chocolat		Chips	
70	Biscottes	Riz blanc standard	Gnocchi	70
	Baguette, Pain blanc		P. de terre vapeur pelées	
65	Pain au seigle	Vermicelles chinois (riz)	P. de terre vapeur avec peau	65
	Pain bis (au levain)	Riz de Camargue		
60	Pain complet	Riz long		60
	Pain au lait	Riz parfumé (jasmin...)		
55	Pizza		Patates douces	55
		Riz basmati long		
50	Wasa léger ™	Riz complet brun		50
45		Riz basmati complet		45
40				40
35		Riz sauvage		35
30				30

I.G	Pâtes / Blé	Farines	Laits / Laitages	Céréales	I.G
100					100
95		Farine de riz			95
		Fécule de pomme de terre			
90					90
		Maïzena (amidon de maïs)		Corn Flakes (maïs)	
85		Tapioca	Lait de riz	Pop-corn (sans sucre)	85
		Farine de blé blanche			
80					80
75	Lasagnes (blé tendre)				75
		Polenta, Semoule de maïs		Céréales sucrées	
70	Nouilles (blé tendre)	Farine de maïs		Céréales Spécial K®	70
	Ravioli (blé tendre)	Couscous, Semoule			
65		Farine semi complète		Muesli (sucré)	65
		Farine de châtaigne/marron			
60	Ravioli / Lasagnes (blé dur)	Farine complète		Porridge, Flocons d'avoine	60
	Spaghetti blancs bien cuits	Semoule de blé dur			
55	Nouilles (bien cuites)			Boulghour	55
	Macaroni (blé dur)			All Bran	
50	Pâtes complètes (blé entier)	Couscous semoule complète		Muesli (sans sucre)	50
		Couscous intégral		Céréales complètes	
45		Blé (farine intégrale)		Blé (type Ébly)	45
	Spaghetti *al dente* (5 mn)	Farine de quinoa		Boulghour complet	
40	Pâtes intégrales, *al dente*	Sarrasin (farine ou pain)	Lait de coco		40
			Yaourt au soja (aromatisé)		
35	Vermicelles de blé dur	Farine de pois chiche	Yaourt nature	Quinoa	35
			Lait de soja, d'amande		
30			Lait de vache		30
			Fromage blanc		
25		Farine de soja	Yaourt au soja nature		25
20					20
15				Céréales germées	15

I.G	Fruits	Fruits secs	Légumes	Légumes secs	I.G
85			Carottes cuites		85
			Navet cuit		
80				Fèves	80
	Pastèque				
75	Potiron		Courges		75
70		Dattes			70
65	Ananas (boîte)	Raisins secs	Betterave (cuite)		65
	Abricots (boîte, au sirop)		Maïs en grains		
60	Banane (mûre)				60
	Melon				
55	Pêches (boîte, au sirop)				55
	Kiwi				
50	Mangue (fruit frais)				50
	Ananas				
45	Banane verte	Noix de coco		Petits pois (boîte)	45
	Raisin			Haricots rouges (boîte)	
40		Figues sèches		Haricots blancs, rouges	40
	Pêche, brugnon	Pruneaux		Petits pois frais	
35	Orange (fruit frais)	Abricots secs	Céleri rave (cru)	Pois chiches (boîte)	35
	Pomme (fruit frais)		Carottes, Betterave (crues)	Lentilles brunes, jaunes	
30	Pamplemousse		Haricots verts	Pois chiches, Houmous	30
	Poire, Abricot (fruit frais)		Tomates	Flageolets	
25	Cerises / Fraises		Aubergine, Ratatouille	Lentilles vertes	25
	Groseilles, Mûres		Cœur de palmier / Artichaut	Pois cassés	
20			Choux (tous), Choucroute		20
		Amandes, Cacahuètes	Courgettes / Oignons		
15		Noix, Noisettes	Haricots, Pois		15
		Pistaches, Pignons	Asperge / Poireaux / Poivrons		
10			Salade / Radis		10
			Avocat		

I.G	Gâteaux, sucres	Boissons	Divers	I.G
110		Bière		110
105				105
100	Sirop de glucose			100
...				...
75	Gaufre au sucre			75
	Sucre blanc, roux			
70	Gelée de coing (sucrée)	Sodas		70
	Confiture standard (sucrée)			
65	Barre chocolatée			65
	Sirop d'érable			
60	Crème glacée, Sorbet			60
	Miel			
55	Nutella®	Jus de raisin		55
	Biscuits sablés			
50		Jus de pomme	Surimi	50
		Jus d'ananas		
45	Confiture (sans sucre ajouté)	Jus de pamplemousse		45
		Jus d'orange		
40		Cidre brut		40
35	Pomme (compote)	Jus de tomate		35
30	Marmelade (sans sucre)			30
25	Chocolat noir (> 70 %)			25
20	Chocolat noir (> 85 %)			20
15	Agave (sirop)		Cornichons	15
			Olives	
10			Champignons	10
5			Crustacés	5

Références bibliographiques

(par ordre chronologique)

L'amour, la médecine et les miracles, Dr Bernie S. Siegel, Éd. Robert Laffont, Collection Réponses, 1984

Sauvez votre corps, Dr Catherine Kousmine, Éd. Robert Laffont et J'ai lu, 1987

Soyez bien dans votre assiette jusqu'à 80 ans et plus..., Dr Catherine Kousmine, Éd. Tchou, 1994

Le régime paléolithique, Dr Dominique Rueff, Éd. Jouvence, 2000

Votre vie entre vos mains : Combattre le cancer du sein, Pr Jane Plant, Éd. Marabout, 2001

L'alimentation au secours de la vie, Patrick Wolf, Gereso Édition, Collection Bien-Être, 2004

L'alimentation ou la troisième médecine (5e édition), Jean Seignalet, Éd. De l'œil, Collection Écologie Humaine, 2004

Écosystème intestinal et santé optimale : Nouvelle approche diagnostique et thérapeutique, Dr Georges Mouton, Éd. Marco Pietteur, 2004

L'intestin, carrefour de mon destin, Philippe Fiévet (à compte d'auteur), 2004

Natural Compounds in Cancer Therapy, John Boik, Éd. Silvine Farnell, 2005, téléchargeable sur le site : http ://ompress.com/

Les aliments contre le cancer : La prévention du cancer par l'alimentation, Richard Béliveau et Denis Gingras, Éd. Solar, 2006

Le régime préhistorique : Comment l'alimentation des origines peut nous sauver des maladies de civilisation, Thierry Souccar, Éd. Indigène, 2006

La solution intérieure : Vers une nouvelle médecine du corps et de l'esprit, Thierry Janssen, Éd. Fayard, 2006

Alimentation sans gluten ni laitages : Sauvez votre santé ! Marion Kaplan et Bruno Donatini, Éd. Jouvence, 2007

Anticancer, David Servan-Schreiber, Éd. Robert Laffont, Collection Réponses, 2007

Dites à votre médecin que le cholestérol est innocent, il vous soignera sans médicament, Michel de Lorgeril, Éd. Thierry Souccar, 2007

Guérir envers et contre tout : Le guide quotidien du malade et de ses proches pour surmonter le cancer, Dr Carl Simonton, Stéphanie Matthews Simonton et James Creighton, Éd. Desclée de Brouwer, 2007

Guide pour lire, comprendre et pratiquer : L'alimentation ou la Troisième Médecine, Dominique Seignalet et Anne Seignalet, Éd. François-Xavier de Guibert, Collection Écologie humaine, 2007

Le principe de vie : Le cancer peut être guéri, Laurent Schwartz, Éd. de la Martinière, 2007

Changez d'alimentation : L'atout Bio !, Pr Henri Joyeux, Éd. François-Xavier de Guibert, Collection Écologie humaine, 2008

Les Combats de la vie : Mieux que guérir, prévenir, Luc Montagnier, Éd. JC Lattès, 2008

Lait, mensonges et propagande, Thierry Souccar, Éd. Thierry Souccar, 2008

Se programmer pour guérir, Dr Yann Rougier, Éd. Albin Michel, 2009

Guérir enfin du cancer : Oser dire quand et comment, Pr Henri Joyeux, Éd. Du Rocher, 2010

Le vrai régime anticancer, Pr David Khayat, Éd. Odile Jacob, 2010

Solutions locales pour un désordre global, Coline Serreau, Éd. Actes Sud, 2010

Revivre !, Guy Corneau, Éd. de l'Homme, 2011

Notre poison quotidien, Marie-Monique Robin, Éd. La découverte, 2011

Vérités sur les maladies émergentes, Françoise Cambayrac, Éd. Mosaïque-Santé (nouvelle édition), 2011

Et si vous manquiez de vitamine D ?, Didier Le Bail, Éd. Mosaïque-Santé, 2011.

Mieux que guérir : avec la médecine intégrative, Dominique Rueff, Éd. Josette Lyon, 2011

Quelques livres de recettes
(par ordre chronologique)

Tante Marie, la véritable cuisine traditionnelle : 1000 recettes, Éd. Taride, 2000

Sans gluten, naturellement, Valérie Cupillard et Dr Jean Seignalet, Éd. La Plage, 2002

Recettes gourmandes pour personnes sensibles (sans gluten, sans œufs, sans lait), Eva Claire Pasquier, Éd. Guy Trédaniel, 2004

Recettes sans gluten ni laitage – selon les principes du Dr Jean Seignalet, Marie Delmas et Hervé Staub, Éd. Le Mercure dauphinois, 2004

Cent nouvelles recettes, tout à la vapeur douce, Christine Bouguet-Joyeux et Henri Joyeux, Éd. François-Xavier de Guibert, 2005

Les meilleures recettes du régime crétois, Philippe Chavanne et Martine André, Kindle Edition, 2006

Cuisiner avec les aliments contre le cancer, Richard Béliveau, Denis Gingras et David Servan-Schreiber, Éd. Robert Laffont, 2008

Les bons plats de France : Cuisine régionale, Pampille (Marthe Daudet), Éd. CNRS, 2008

500 recettes cuisine vapeur de A à Z, Martine Lizambard et Caroline Faccioli, Éd. Solar, 2009

Mes petites recettes magiques sans gluten (et sans lactose), Carole Garnier, Éd. Leduc.S, 2010

Mes petites recettes magiques au curcuma, Pascale de Lomas, Éd. Leduc.S, 2011

Liens vers les sites Internet

Site de l'auteur :

http://www.docteur-michel-lallement.com

Site du Dr Servan-Schreiber :

http://www.guerir.org/

Site consacré à la méthode du Dr Kousmine :

http://www.kousmine.fr/

Site consacré à la méthode du Dr Seignalet :

http://www.seignalet.com/

Site du Dr Yann Rougier :

http://www.delta-medecine.org/

Site du Dr Jean-Loup Mouysset :

http://www.association-ressource.org/

Tableau des index glycémiques des aliments

http://www.montignac.com/fr/ig_tableau.php

Site très complet sur l'alimentation :

http://www.passeportsante.net

Sites pour les allergiques et les intolérants

http://www.gourmetsansgene.com/

http://www.exquidia.com/ et de très nombreux blogs.

Sites de publications médicales (en anglais) :

http://www.ncbi.nlm.nih.gov/sites/entrez

http://www.cochrane.org/

Remerciements

Je tiens à remercier en premier lieu tous les patients qui m'ont accordé leur confiance lors de mes recherches, et qui ont accepté de financer les bilans mentionnés dans cet ouvrage. Ils m'ont permis de vérifier l'efficacité de l'approche nutritionnelle, bien au-delà de mes espérances initiales.

Une reconnaissance toute particulière va aux médecins, thérapeutes et biologistes qui m'ont fait découvrir cette approche nutritionnelle des maladies : par ordre chronologique, les Prs et Drs David Servan-Schreiber, Michel Pelluault, Henri Joyeux, Pierre Maldiney, Vincent Castronovo, Philippe Fievet, André Burckel, Alain Bondil, Dominique Rueff, Marc Bouchoucha... Ils m'ont apporté leur grande expérience sur les sujets abordés, et ont accepté de répondre patiemment à mes innombrables questions.

Plus particulièrement, je tiens à remercier les Drs Yann Rougier et Jean-Loup Mouysset, qui m'ont apporté leur précieux soutien et m'ont fait l'honneur de préfacer ce travail.

Au quotidien, plusieurs personnes se sont bénévolement impliquées à mes côtés dans ce travail : un grand merci à Dany, Brigitte, Patricia, et surtout à Yasmine, qui m'a aidé à terminer ce livre.

Parmi les nombreux relecteurs, je remercie tout particulièrement Geneviève et Jean-Paul, Philippe, Louis-Pierre et Virginie, pour les conseils qu'ils m'ont prodigués, ainsi que Bernard, dont l'aide fut précieuse tout au long de mes recherches.

Lynda m'a offert son expérience de maquettiste, et a accepté avec patience les modifications successives apportées à l'écriture de ce livre. Philippe n'a pas compté les heures passées sur les illustrations et tableaux.

Je terminerai par une mention spéciale à mes proches, en particulier mes enfants, qui ont subi mes tâtonnements nutritionnels au quotidien durant ces dernières années !

Que tous soient sincèrement remerciés.

Table des illustrations

Table des matières

Imprimé en janvier 2013 à Condé-sur-Noireau (France)
par l'imprimerie Corlet
pour le plaisir des éditions Mosaïque-Santé
N° d'imprimeur : 152914